Rilke?
Kleine Hommage zum 100. Geburtstag

D1407694

Rilke?

Kleine Hommage zum 100. Geburtstag
zusammengetragen und veranstaltet
von
Heinz Ludwig Arnold
edition text + kritik

München MCMLXXV

Gesamtherstellung: Johannesdruck Hans Pribil KG, München
Umschlag-Entwurf: Dieter Vollendorf, München
Das Foto stellte freundlicherweise das Worpsweder Archiv zur Verfügung.
edition text + kritik GmbH, München 1975
ISBN 3-9214-0215-8

Inhalt

IV

I

ernst jandl
der gewöhnliche rilke
1—17

rilkes trennung

der ungewöhnliche rilke
und der gewöhnliche rilke
steckten im gleichen

der ungewöhnliche rilke
und der gewöhnliche rilke
wären beisammen geblieben

der ungewöhnliche rilke
und der gewöhnliche rilke
würden sich trennen müssen

der ungewöhnliche rilke
und der gewöhnliche rilke
wußten es beide

rilkes atmen

1
rilke
atmete
die luft

die gute luft

2
rilke
atmete
pausenlos

rilkes nase

eingang und ausgang
der luft
kannte sie
gestank
geruch
duft
taschentuch
schnupfen

rilkes name

rilke
sagte er
nach seinem namen gefragt

rilke
sagte man
nach seinem namen gefragt
oder
kenn ich nicht

rilke, reimlos

rilke
sagte er

dann sagte er
gurke

leise dann
wolke

rilkes boot

ruderschlagend
tagend

tagend
ruderschlagend

rilkes lade

1
die lade
zog er heraus

etwas
tat er hinein

etwas
lag darin

die lade
schob er hinein

2
die lade
zog er heraus

etwas
lag darin

etwas
nahm er heraus

die lade
schob er hinein

3
die lade
zog er heraus

nichts
lag darin

nichts
tat er hinein

die lade
ließ er offen

rilkes truhe

1
den deckel
klappte er auf

etwas
tat er hinein

etwas
lag darin

den deckel
klappte er zu

2
den deckel
klappte er auf

etwas
lag darin

etwas
nahm er heraus

den deckel
klappte er zu

3
den deckel
klappte er auf

nichts
lag darin

nichts
tat er hinein

die truhe
ließ er offen

rilkes schuh

rilkes schuh
war einer
von zweien

jeder schuh rilkes
war einer
von zweien

rilke in schuhen
trug immer
zwei

wade an wade
stand rilke
aus den beiden schuhen heraus

rilkes fenster

das fenster
machte er auf
steckte den kopf hinaus
zog den kopf zurück
machte es zu

das fenster
machte er auf
morgenluft
drang herein
abendluft
nachtluft

das fenster
machte er zu

rilkes glas

rilke nahm ein glas
füllte es mit wasser
hob es zum mund
trank

rilkes hand

rilkes hand und rilkes hand
an ihm herunterhängend

rilkes hand in rilkes hand
eine in der andern

rilkes hand in der eines andern
grüßend

rilkes hand an rilkes mund
dieser es spürend

rilke im gespräch

jemand fragt
rilke antwortet

rilke fragt
jemand antwortet

beide sind nicht sehr glücklich darüber
beide sind nicht sehr traurig darüber

rilkes lohn

dies nun
sei sein lohn

keiner war sich gewiß
was er damit meinte

rilke
weinte

rilkes widerspruch

und dennoch klein und weiß
und dennoch groß und schwarz
und dennoch klein und schwarz
und dennoch groß und weiß
und dennoch klein und groß
und dennoch weiß und schwarz
und dennoch klein und schwarz und weiß
und dennoch groß und klein und schwarz

rilkes augen

rilke schlug die augen auf
alles war sichtbar
nichts war unsichtbar

rilke schloß die augen
nichts war sichtbar
alles war unsichtbar

rilke schlug die augen auf
nichts war unsichtbar
alles war sichtbar

rilke schloß die augen
nichts war sichtbar
nichts war unsichtbar

rilkes gewicht

rilke wird um sein
gewicht erleichtert

so rauh erzieht
die erde ihren sohn

II

Über Rilke
1900 — 1961

PAULA MODERSOHN-BECKER   WORPSWEDE, DEN 3. SEPTEMBER 1900

Dr. Carl Hauptmann ist auf eine Woche hier (...) Daneben Rainer
Maria Rilke, ein feines lyrisches Talent, zart und sensitiv, mit kleinen
rührenden Händen. Er las uns seine Gedichte, zart und voller Ahnen.
Süß und bleich. Die beiden Männer konnten sich im letzten Grunde
nicht verstehen. Kampf des Realismus mit dem Idealismus.
(1)   [Tagebucheintragung]

HARRY GRAF KESSLER [AN HUGO VON HOFMANNSTHAL]   18. XI. 10

(...) Rilke reist in diesen Tagen nach Algier, wo er den Winter bleibt,
was mir recht leid thut, da ich immer viel von ihm habe wenn wir hier
zusammentreffen. Er ist eine unendlich reine, vornehme Natur und
von einer wohltuenden Abgeschiedenheit gegen das Materielle des
Lebens. (...)
(2)

ALBERT SOERGEL
(...)
Zwei Dichter verehren die Lyriker der Jugend von heute vor allen
anderen als ihre Vorbilder: die Willensmenschen verehren Dehmel,
die tatenlosen Träumer aber, die sehnsüchtigen Betrachter, die Stim-
mungsmenschen, die Dämmermenschen verehren Rilke. Als eine
höchste Verklärung ihrer Art empfinden sie unbewußt seine betörende
Melodie, die Musik seiner Sprache, die Feinheit seiner Beobachtungs-
kunst, die Beseelung des Kleinsten, die mystische Inbrunst, die Gott-
versunkenheit. Was sie werden könnten, das verehren sie in diesem
Künstler (...)
(3)   (1911)

OSKAR LOERKE   22. NOVEMBER 1911

Ich lese Aufsätze über Künstler, die zur Natur ganz zart stehen, ihre
Seele gleichsam entblößend. Ich glaube nicht daran. Gesundheit muß

sein. Man sagt mir von meiner Ehrfurcht in den Gedichten. Davon
weiß ich nichts. Ich gebe nur, was da ist. Überhaupt ein Wunsch nach
dem Gesunden. Heine, Baudelaire sind gesund, weil sie das Kranke
gesund geben, kleinere, Rilke usw. sind krank, weil sie das Gesunde
krank geben.

(4)

Ernst Blass

(...)

Wenn ich einen Vergleich ziehen soll: Else Lasker-Schüler ist eine
Zungentänzerin, Rilke ein Bauchredner.

(...)

(5)   (1913)

Andre Gide

Rainer Maria Rilke kam gestern morgen (26. Januar 1914) zu mir,
um mir einige Stellen seiner Übersetzung meines ›Enfant prodigue‹
vorzulegen, die ihn nicht befriedigten.

Ich hatte die Freude, sein feines Gesicht wiederzusehen. In der Un-
beredtheit seiner Züge kann ich jetzt die Reinheit, die Empfindsamkeit seiner Seele lesen. Glücklich darüber, in meiner Bibliothek das
große Wörterbuch von Grimm zu finden, schlug er es auf bei dem
Abschnitt H a n d und vertiefte sich geduldig suchend darein, wobei
ich ihn einige Zeit allein ließ. Er erzählte mir, daß er des Vergnügens
halber einige Sonette von Michelangelo übersetze und welche Schwie-
rigkeit ihm das Wort p a l m a bereite. Zu seiner Überraschung habe
er bemerkt, daß die deutsche Sprache zwar ein Wort aufweise, das
den Rücken der Hand bezeichne, keines aber für das Handinnere.

(...)

Wieder einmal konnte ich die so aufschlußreiche Gereiztheit eines
deutschen Schriftstellers gegen seine eigene Sprache feststellen; eine
Gereiztheit, die ich anderswo vermerkt habe und von der ich nicht
weiß, ob irgendein Schriftsteller irgendeines anderen Landes sie je

gekannt hätte. (Hier muß man wissen, daß Rainer Maria Rilke, einer der größten Dichter des heutigen Deutschlands, tschechischer Herkunft ist.)
(6)

KURT PINTHUS

(...) Als noch Verhaeren große Formen für das Weltgefühl dieser Kunst suchte, das Whitman schon, primitiver, aber, vom Strom der Güte und Liebe durchrauscht, beglückender vorangesungen hatte, das Ernst Lissauer schließlich in seinen früheren Gedichten derb in starrem Rhythmus zusammenschraubte, bohrte sich Rilke mit so beseligter Inbrunst in die Bilder der Realität, daß er sie durchdrang und ins Reich des Göttlichen einzog, während zugleich Stefan George, vorbildlich durch des Charakters und der Form Haltung, mit strenger Gebärde wegwies von der modernen attrappenhaften Wirklichkeit zum Vollkommenen.

(...)
(7)   (1915)

KARL KRAUS [AN SIDONIE NADHERNY VON BORUTIN]   23. 1. (1915)

(...) R. M. R. hat, wie ich gestern hörte, schon im August Kriegsgedichte verfaßt. Das ist mir zu tapfer.
(...)

8./9. VI. (1915) NACHTS

Als einst mein natürliches Interesse, das wir getrost Eifersucht nennen wollen, dem wochenlangen Zusammensein mit R. eine natürliche Seite absehen wollte, warst Du es, die die erotische Neutralität des Falles fast mitleidig betont und aus der rein weiblich-ästhetischen Einstellung des R. zur Frau erklärt hast — eine Darstellung, die auch dem Eifersüchtigsten einleuchten müßte, der nur eine Zeile von R. gelesen hat. (...)

30

(...) Maria sucht mich nicht mehr auf. — Dagegen höre ich, daß sie ihre A b e n d e abwechselnd in den Häusern Thurn und Schwarzwald (zu deren Verbindung, Austausch von Adel und Intelligenz, sie wesentlich beiträgt) verbringt. Daß man das kann, wenn man so müde ist, wundert mich. Man muß doch frisch sein, um dort erst müde zu w e r d e n ! (...)

31. III. (1916)

(...) Maria im Imperial, nicht gesprochen. Sitzt in schlechter Gesellschaft, die die guten Sitten verderben wird. Peinliche Advokaturs - Jüdinnen (die ihr vielleicht helfen sollen, wenn die peinlichen Fürstinnen versagen).
(...)

31./1. VI. 16

(...) Aber Maria ist ein schwankendes Laubrohr im Winde.
(...)

12./13. 12. 16

(...)

Hier der Brief des R. Wirklich arm. Ich glaube, daß der »schlichte Werktag« auf der Burgruine nicht viel bringen wird. Viel neues Leben wird aus d e n Ruinen nicht blühen! War je etwas in ihm, worauf man »besteht« und was der Zusprecherin »durch die Jahre vertraut und m ä c h t i g gewesen ist«? Vertraut ja, aber mächtig? Ein sonderbarer Zufall, daß ich gerade heute nachm. auch einen Brief von ihm an Frau W. gelesen habe.

(...)

R. sagt: »Es wird trostlos in dieser Welt«, aber das ist es schon lange und ich fürchte, er wird sich »keinen Vers darauf machen können«. Er war zu fein, um der Wendung zu folgen, und zu schwach, um sie zu bewältigen. Darum konnte er auch einem Menschen, der groß wie die Natur ist, nie »mächtig« sein.

Aber mir ist's freilich auch nicht recht, daß i c h so brave Leute wie den oder die hier (Beilage) zu Dichtern mache.

(...)

(...)

Sehr unangenehmes hörte ich von Maria, dem die Nennung mit dem weiblichen Vornamen immer angemessener wird. Er scheint sich ganz zur Partei der Hysterie geschlagen zu haben. Das Problem des Scheinmenschenthums in der Literatur hat ihn durch meine Einwirkung so lange bewegt, bis er sich selbst dazu entschlossen hat. Mir wird erzählt, daß er sich nach meiner Erledigung des Falles zu meinen Ungunsten für das Prager Ghetto ausgesprochen habe. Aus dem »persönlichen« Motiv meiner Erledigung habe ich so wenig ein Hehl gemacht, daß ich ja ganz gründlich auch ihn seinerzeit informiert habe. Erinnert man sich noch, daß man ihm selbst schon vorher geschrieben hatte: »Der Mensch sagt die Wahrheit über den Dichter — denn der Mensch lügt.« Wir hatten es in J. besprochen. Und das alles — die höchst persönliche N ä h e dieses persönlichen Motivs, diese zehnjährige Freundschaft (die vor der Außenwelt ihm das oft beklagte Vorzugsrecht gibt) hat nicht genügt, sich mit Entschiedenheit von diesem Schlamm abzuwenden. Vielmehr hat er »Widersprüche« — gegen m i c h ! (Aber ich darf's eigentlich nicht wissen.) Nun, ich glaube, der kürzlich in Berlin die gegentheilige Wendung vollzogen hat, hat recht: »Für schwache schöne Seelen ist er nichts.« Für mich ist auch dieser Fall endgültig und für alle Zeiten erledigt. Nicht, weil einer »Widersprüche« gegen mich erhebt, sondern weil e r s i c h an ihnen klarstellt!

(...)

(8)

HERMANN HESSE [AN GUSTAV GAMPER]   14. 12. 1919

(...)

Wie schön, daß Du Rilke kennenlerntest! Das ist gewiß ein lieber,

feiner und zarter Mensch. Auch ich werde mich sehr freuen, wenn ich
ihn hier im Süden einmal antreffe. (...)
(9)

KLABUND

(...) Rilke ist ein Mönch, der statt der grauen Kutte eine purpurrote
trägt, die Seligkeit des Himmels liebt, aber die Freuden der Welt nicht
verachtet.
(10)   (1920)

OSKAR LOERKE   12. NOVEMBER 1926

(...) Im Insel-Almanach schöne Gedichte Rilkes. Jetzt abendliche
Sammlung, aber doch, wie fern dem Werk, wie fern!
(11)

ROBERT MUSIL
(...)
Rainer Maria Rilke war schlecht für diese Zeit geeignet. Dieser große
Lyriker hat nichts getan, als daß er das deutsche Gedicht zum erstenmal
vollkommen gemacht hat; er war kein Gipfel dieser Zeit, er war
eine der Erhöhungen, auf welchen das Schicksal des Geistes über
Zeiten wegschreitet ... Er gehört zu den Jahrhundertzusammenhängen
der deutschen Dichtung, nicht zu denen des Tages.
Wenn ich sage, das deutsche Gedicht vollkommen gemacht, meine ich
keinen Superlativ mehr, sondern etwas Bestimmtes. Ich meine auch
nicht jene Vollkommenheit, von der ich gesprochen habe, welche jeder
wahren Dichtung eignet, auch wenn diese Dichtung, an sich selbst
gemessen, unvollkommen ist. Sondern ich meine eine ganz bestimmte
Eigenschaft des Rilkeschen Gedichts, eine Vollkommenheit im engeren
Sinn, die seine geschichtliche Stellung zunächst bestimmt.
(...)
(...) Er war in gewissem Sinn der religiöseste Dichter seit Novalis,
aber ich bin nicht sicher, ob er überhaupt Religion hatte. Er sah an-

ders. In einer neuen, inneren Weise. Und wird einst, auf dem Weg, der von dem religiösen Weltgefühl des Mittelalters über das humanistische Kulturideal weg zu einem kommenden Weltbild führt, nicht nur ein großer Dichter, sondern auch ein großer Führer gewesen sein.

(...)

(12)   (1927)

ANDRE GIDE   AM 9. FEBRUAR 1927

Alles ist gesagt worden über Rainer Maria Rilke. Wohl alle, die mit ihm in Berührung gekommen sind, standen unter dem Zauber seiner Anmut und seiner Zärtlichkeit; er war, mit allen und mit jedem, stets vollkommen natürlich. Er war ein Dichter und bemühte sich nicht, es zu scheinen; doch er empfand auch nicht Scham, es zu sein, und ließ den quellenden Schatz, dessen Hüter er war und den zu verbreiten er als Auftrag empfand, in seinem Blick sanft erstrahlen und in seinen geringsten Äußerungen leise dahinfließen.

Ich forsche in den Erinnerungen an eine Freundschaft, die weit zurückreicht und die nichts je getrübt hat: Spaziergänge im Jardin du Luxembourg, lange Gespräche, in denen ein jeder unermüdlich dem nachhallenden Echo einer immer tieferen Sympathie lauschte ...

Was kann ich von all dem erzählen? Rilke ist eines der Wesen, die ich am meisten geliebt habe und über die ich am wenigsten zu sagen weiß. Er hat sich ganz in seinem Werk gegeben, und wenn ich eines seiner Bücher wieder öffne, vernehme ich seine Stimme, sehe ich seine Geste, spüre ich seinen Blick, und ich kann nicht mehr glauben, daß er tot ist. Seine allumfassende Sympathie: seine Dichtung sagt sie noch aus; aber die Liebe, die sie wachruft in uns, wird künftig untröstlich sein, daß sie ihn nicht mehr erreichen kann.

(13)

HERMANN HESSE

Als vor einigen Monaten der Dichter Rilke starb, konnte man aus
dem Verhalten der geistigen Welt — teils aus ihrem Schweigen, teils
und noch mehr aus dem, was sie äußerte — deutlich sehen, wie in
unserer Zeit der Dichter, als reinster Typus des beseelten Menschen,
zwischen Maschinenwelt und der Welt der intellektuellen Betrieb-
samkeit in einen luftlosen Raum gedrängt und zum Ersticken ver-
urteilt ist.

(...)

Noch andere wieder — zu ihnen gehörte Rilke — nehmen das Leid
auf sich, unterwerfen sich dem Schicksal und wehren sich nicht dagegen, wenn sie sehen, daß die Krone, welche andere Zeiten für den
Dichter hatten, heut zum Dornenkranz geworden ist. Bei diesen Dichtern ist meine Liebe, sie verehre ich, ihr Bruder möchte ich sein. (...)

(14)   (1927)

KLAUS MANN

Unsere Dankbarkeit für den, der diese Zeilen schrieb*, sollte wahrhaft keine Grenzen kennen. Wir glaubten nicht, daß dies noch möglich wäre — daß dies s c h o n möglich wäre, glaubten wir nicht,
schon jetzt, schon heute: diese letzte, äußerste, überraschendste Subli-
mierung der Sinnlichkeit, so daß die Sinnlichkeit zum Geiste wird
und dabei die ganze Stärke und Innigkeit ihrer Naivität behält. Der
kühnste, heikelste Gedanke und das zarteste Gefühl finden sich zur
lang erhofften, niemals gewagten Identität, in Wortgebilden von nie
dagewesener Kühnheit und Süße vereint sich die Sinnlichkeit mit dem
Geist.

* Welchem der Bilder du auch im Innern geeint bist
(sei es selbst ein Moment aus dem Leben der Pein),
fühl, daß der ganze, der rühmliche Teppich gemeint ist.

(15)   (14. 1. 1927)

HERMANN KASACK

Der aller Realität übergeordnete Begriff in Rainer Maria Rilkes Ge-
samt-Werk bleibt das Phänomen des Lebens. Der Gedanke der Welt
als die geläuterte Anschauung ihrer Lebendigkeit ist der Ursprung
seines Gedichts. Das Erkennen, das Wissen vom Dasein, das nichts
enthält als sich selber, ist das unausschöpfbare Thema. Der Geist aber
war immer das fortzeugende Motiv seiner Kunst.
(16)   (1927)

FRANZ WERFEL

Ich bin aufrichtig begeistert von Rilkes Briefen und nicht minder
begeistert von der wundervollen Art, wie Sie selbst durch Überleitung
und Kommentar diese Überfülle dichterischen Materials zu einem
fast epischen Werke von großer Geschlossenheit verbunden haben.
Man findet kaum eine Seite, auf der nicht eine Kostbarkeit der Anschauung, der Erkenntnis, des Wesens aufblitzt; und immer wieder
die einzigartigen Gleichnisse, die erschreckend-herrlichen Durchblicke
Ihres Freundes, den Sie mit Recht »Zauberer« nennen. Es sind ja gar
keine Briefe, sondern Gedichte, die nur unter einem leichteren Druck
stehen, sonst wären sie Kristall geworden.
(17)   (1. 2. 1929)

PAUL VALERY

Rainer Maria Rilke ... dieser teure Name, der bisher einen Klang von
Freude hatte, von süßer Hoffnung auf Begegnungen und köstlichen
Gedankenaustausch, dieser für mich so reiche Name, das magische
Wort, das engste Verbundenheit im Geiste und vollste Erfüllung be-
deutete, Rainer Maria Rilke ... dieser liebe Name, ist jäh und plötz-
lich durchdringender Schmerz, ein herzzerreißendes Gefühl geworden.
Teurer Rilke! ... Ich sah in ihm, ich liebte in ihm den zartesten und
geisterfülltesten Menschen dieser Welt, den Menschen, der am meisten

heimgesucht war von all den wunderbaren Ängsten und allen Geheim-
nissen des Geistes.

(...)

In der gedankenvollen Klausur seines Einsiedlerturmes von Muzot,
wohin er sich nach vielfachem Schweifen aus Gründen der Gesundheit
und aus Liebe zur Meditation eingeschlossen hatte, war Rilke allmählich unmerklich zum Bürger des intellektuellen Europa geworden.
Diesen großen Poeten, einen der im edelsten Sinne ruhmreichsten
Dichter der germanischen Welt, verband eine starke Wahlverwandt-
schaft mit der slavischen Rasse, er war ein tiefer Kenner Skandi-
naviens, und gegen den Westen hin stand er der französischen Kultur
so nahe, daß ich ihn leicht verlocken konnte, Gedichte in unserer
Sprache zu schreiben und zu veröffentlichen.

Ihn verloren zu haben, heißt einen verloren haben, der in sich ver-
einte nicht nur die Fassungskraft für alles Schönste, was Europa her-
vorgebracht hat, und die vertiefte Kenntnis der Reichtümer, die aus
unserer Verschiedenheit kommen, sondern der auch die nahe, schon
schöpferische Sensibilität besaß: Die Seele einer künftigen Zeit ...

(18)   (1931)

ERNST KRENEK

(...) Es entstand eine merkwürdige Beziehung zwischen zwei grund-
verschiedenen Generationen. Denn wenn auch Rilke über die künst-
lerischen Bestrebungen der Gegenwart, besonders in Frankreich,
durchaus orientiert war und mit seinem Einfühlungsvermögen allem
zu folgen vermochte, so gehörte er doch einer anderen zeitlichen
Ebene an. Irgendwo war er nicht fünfzig, sondern sechshundert oder
zweitausend Jahre alt. Zu jener Zeit besuchte man ihn im Château
Muzot, dessen Umgebung in dieser frühen Jahreszeit noch lange nicht
alle ihre Reize entfaltet hatte, und Rilke las seine »Duineser Elegien«
vor, wobei er in einer bei ihm zunächst nicht zu erwartenden intellek-
tuell klaren und sachlichen Weise erklärende Erläuterungen gab. Aber
schon hier merkte ich, bei aller Bewunderung des Werkes, wieviel

mehr die Persönlichkeit des Dichters auf mich wirkte als die Tatsache seines Schaffens. (. . .)
(19)   (1931)

WILHELM HAUSENSTEIN

Darf ich vor meinem Gewissen verschweigen, daß seine noble Fassung mich einmal und öfter aufbrachte? Daß die vollkommene Reinheit, Zärtlichkeit und Weite seines Wesens mich revoltieren konnte und die böse Lust weckte, seinen auf der feinsten Waage gewogenen Worten heftige Worte, unüberlegte entgegenzusetzen, ja ihn aus der metaphysischen Entferntheit seines Lebens, obwohl sie doch das wahre Leben war, herzureißen in eine der Banalitäten, die von der menschlichen Gesellschaft für Wirklichkeit ausgegeben werden?
Ich schäme mich des bösen Antriebs und bin dem unbekannten Gott dankbar dafür, daß er mir die Kraft gab, die schlechte Lust zu unterdrücken. Wie entsetzlich würde ich den Dichter erschreckt haben.
(20)   (1931)

ANDRE GIDE   VITTEL, 4. JULI (1933)

In einer alten Nummer des »Figaro«, die ich auf einem Tisch im Hotelsalon entdeckte, ein interessanter Artikel von Edmond Jaloux, worin er von Rainer Maria Rilke spricht und von der Geduld, die dieser an das langsame Werden seiner Gedichte gewandt hätte.
Das mag vielleicht auf die »Duineser Elegien« zutreffen; ich aber erinnere mich, Rilke sagen gehört zu haben, daß ihm die Mehrzahl seiner Gedichte aus der Feder geflossen sei oder, genauer, aus dem Bleistift, in ein kleines Notizbuch, das er beim Spazierengehen mitführte; dann abgeschrieben wurden, ohne jegliche Retusche. Er zeigte mir das Notizbuch, das er bei sich trug (er war zum Frühstück in die Villa Montmorency gekommen), worin zahlreiche Gedichte gekritzelt waren, »improvisiert«, wie er mir sagte, »auf einer Bank des Luxemburggartens«. Ich sah nicht eine einzige Korrektur.
(21)

LOU ANDREAS-SALOME

(...) Der blutjunge Rainer, obwohl er schon verblüffend viel geschrieben und veröffentlicht hatte — Gedichte, Geschichten, auch die
»Wegwarten-Zeitschrift« herausgegeben —, wirkte in seinem Wesen
doch nicht vorwiegend als der zukunftsvoll große Dichter, der er
werden sollte, sondern ganz von seiner m e n s c h l i c h e n Sonder-
art aus. Und dies, obschon er bereits in seinen Anfängen, seit den
kindlichsten von ehemals geradezu schon, die dichterische Aufgabe
als die seiner unwidersprechlichen Berufung vorweggefühlt hatte und
nie irre an ihr ward. Doch eben weil er von dieser Traumsicherheit
glühend war, überschätzte sich ihm das schon Geleistete keineswegs;
es bildete nur den Auftrieb zu erneuten Äußerungsversuchen, deren
technische Bemühung, deren Ringen mit dem Wort sich ihm fast
selbstverständlich noch im Gefühlsüberschuß verfing — dem noch
nicht Vollendbaren mußte »Sentimentalität« aushelfen.

(22)   (30er Jahre)

HERMANN HESSE

(...) Das Phänomen Rilke (...) sieht etwa so aus: mitten in einer Zeit
der Gewalt und brutalen Machtanbetung wird ein Dichter zum Lieb-
ling, ja zum Propheten und Vorbild für eine geistige Elite, ein Dichter,
dessen Wesen Schwäche, Zartheit, Hingabe und Demut zu sein scheint,
der aber aus seiner Schwäche einen Antrieb zur Größe, aus seiner
Zartheit eine Kraft, aus seiner seelischen Gefährdung und Lebensangst
eine heroische Askese gemacht hat. Und darum gehören die Briefe
Rilkes, gehört sein persönliches Leben und seine Legende so sehr mit
zu seinem Werk, weil er in seiner Anlage so sehr typisch ist für das Un-
geborgene, Heimatlose, Entwurzelte, Gefährdete, ja Selbstmörde-
rische des geistigen Menschen in unserer Zeit. Er überwindet nicht,
weil er stärker, sondern weil er schwächer war als der Durchschnitt,
es ist das Kranke und Gefährdete seiner Natur, das die heilenden,
beschwörenden, magischen Kräfte in ihm so gewaltig aufgerufen und

39

gestärkt hat. Und so ist er ein geliebtes und tröstendes Bild und Vorbild des Geistigen und Künstlers geworden, der sich dem Leide nicht
entzieht, der sich von seiner Zeit und ihren Ängsten, der sich von
seinen eigenen Schwächen und Gefahren nicht abtrennt und lossagt,
sondern durch sie hindurch, ein Leidender, seinen Glauben, seine
Lebensmöglichkeit, seinen Sieg erstreitet. Als Dichter hat dieser Weg
ihn zu einer neuen, erlittenen, erkämpften, oft vor Anstrengung durch
und durch vibrierenden Form geführt. Als Menschen hat ihn sein
Schicksal demütig und gütig gemacht.

(23)   (1933)

HANS CAROSSA

Es gibt Leute, die der Nachtigall ewig vorwerfen, daß sie kein Adler
ist, und mancher sucht Rilke dadurch herunterzusetzen, daß er seiner
Dichtung die elementare Männlichkeit abspricht, vielleicht, weil er
kaum jemals ein eigentliches Liebeslied geschrieben hat. Es gibt aber
verschiedenartige Auswirkungen des Männlichen, und wenn es einem
Künstler nicht beschieden ist, mit einer Frau in großer metaphysischer
Verbindung zu leben, so müssen wir ihm schon gestatten, daß er sich
mit allen herrlichen und unscheinbaren Dingen der Welt so geistig-
innig verheiratet, wie sein Ingenium es zuläßt. Was aber das Elementare angeht, so ist es nicht immer jedem erkennbar.

(24)   (1933)

GOTTFRIED BENN [AN FRIEDRICH WILHELM OELZE]   26. OKTOBER 1936

Lese gerade die mir unbekannten Rilkebriefe aus den Jahren 1902 bis
1907. R[ilke] ist für mich immer ein Gemisch von männlichem
Schmutz und lyrischer Größe, ein unangenehmes Gemisch. Auch diese
hundert Grafen und Gräfinnen und aus 50 Schlössern —, es ist schwer,
es nicht komisch zu finden.

(25)

GEORG LUKACS

(...)

Die gesellschaftliche Zusammengehörigkeit von Überfeinerung der
entleerten Individualität und entfesselter Bestialität berührt vielleicht
manchen in den Vorurteilen unserer Zeit befangenen Leser etwas
paradox. Sie läßt sich aber in der ganzen Produktion der denkerischen
und dichterischen Dekadenz mühelos nachweisen. Ich nehme als Beispiel einen der zartesten und empfindungsfeinsten Dichter der unmittelbaren Vergangenheit, Rainer Maria Rilke. Das erschrockene
Zurückweichen vor der seelenlosen Brutalität des kapitalistischen Lebens ist einer der Grundzüge der dichterischen und menschlichen
Physiognomie Rilkes. In einem Brief stellt er das Verhalten der Kinder
zum unsinnigen Getriebe der Erwachsenen, das Sichzurückziehen des
Kindes in eine einsame und verlassene Ecke vor der sinnlosen Ge-
schäftigkeit als vorbildliches Verhalten des Dichters zur Wirklichkeit
hin. Und tatsächlich drücken die Gedichte Rilkes dieses Einsamkeits-
gefühl oft mit einer faszinierenden sprachlichen Kraft aus.

Sehen wir uns aber ein solches Gedicht näher an. In seinem »Buch der
Bilder« zeichnet Rilke die Gestalt des schwedischen Königs Karl XII.
als legendarische Verkörperung einer solchen einsamen Melancholie
inmitten des Lärms eines kriegerischen Lebens. Einsam verbringt der
legendenhafte König seine Jugend, einsam und voller Trauer, einsam
reitet er inmitten der wilden Schlacht, und nur am Ende dieser
Schlacht leuchtet etwas Wärme in seinen Augen auf.

Das Grundmotiv dieses Gedichts ist die Stimmung der einsamen Melancholie. Mit dieser identifiziert sich lyrisch der Dichter, für diese
verlangt er unsere Sympathie. Wie sieht nun die feine und einsame
Melancholie in Wirklichkeit aus? Rilke schildert lyrische Momente aus
dem Leben seines Helden:

»Und wenn ihn Trauer überkam,
So machte er ein Mädchen zahm
Und forschte, wessen Ring sie nahm,
Und wem sie ihren bot —
Und: hetzte ihren Bräutigam
Mit hundert Hunden tot.«

Dieser Einfall könnte von Göring stammen, aber keinem Menschen
würde es einfallen, dem dicken Marschall eine bezaubernde Melancholie à la Rilke anzudichten. Nicht die Tatsache einer bestialischen Brutalität ist das Empörendste an diesem Gedicht, sondern daß Rilke,
ohne es selbst zu bemerken, aus dem tiefen Mitgefühl mit der einsamen Melancholie, mit der seelischen Verfeinerung seines Helden in
diese Bestialität hineingleitet und gar nicht bemerkt, daß er bestialisch
über Bestialisches spricht. Es ist für ihn eine bloße Episode, eingewo-
ben in den stilisierten Teppich jener Lebensepisoden, die an der Seele
des legendarischen Helden vorübergleiten, ohne sie, ohne den Dichter
überhaupt zu berühren. Wirklich ist für Rilke nur die melancholische
Stimmung seines Helden.

Die animalisch grausamen Wutausbrüche ordinärer Spießbürger sind
die Ausdrücke derselben Lebenslage und eines ähnlichen Lebensgefühls
wie diese Verse. Nur steht ein großer Teil der Durchschnittsphilister
menschlich in solchen Momenten über Rilke, denn es dämmert in
ihnen eine Ahnung davon, daß diese Bestialität doch nicht mit dem
wirklichen Menschsein vereinbar ist. Der irrationalistische ausschließ-
liche Kultus der entleerten Feinheit hat den zarten Dichter Rilke un-
empfindlich für diesen Unterschied gemacht.

(...)

(26)   (1938)

BERTOLT BRECHT

(...) Rilke ist nicht volkstümlich; um das zu sehen, braucht man nicht
seine komplizierten, formal überspitzten Gedichte zu lesen; auch jene

seiner Gedichte, die im Volksliedton geschrieben sind, sind nicht volks-tümlich. Lukács zieht da eine sehr illustrative Strophe ans Tageslicht (»Und wenn ihn Trauer überkam«); sie ist formal verständlich, weit verständlicher als Majakowskis Strophen. Aber es ist nicht das drinnen, was das Volk Verstand nennen würde. Sie ist formalistisch, indem in mitleidigem Tonfall von Bestialitäten gesprochen wird und das Mitleid auf den Verbrecher gelenkt ist. Da ist eine Trauer so ausgedrückt, als ob jeder sie teilen könnte, was nicht der Fall ist. Es wird, auf dem Papier, formal, durch einfache Formwahl, durch einen ästhetischen Kniff, der Eindruck erzeugt, solches könne das Volk singen, das heißt meinen und fühlen. Fühlte und meinte das Volk so, so würde es seine Interessen verraten. Bei den »komplizierteren«, »sublimeren« Gedichten desselben Menschen wird man die gleiche Gegnerschaft zum Volk feststellen können, in anderer Form. Da ist die Flucht aus der Banalität in den Snobismus. Da wird aus nichts etwas gemacht. Dem Gehalt nach ist es nichts, der Form nach ist es neu. Diese Gedichte »sagen dem Volk nichts«, teils auf verständliche, teils auf unverständliche Art.

(27)   (1938)

FRANZ BLEI

Rilke, der nicht ein einziges Liebesgedicht geschrieben hat, war ein Dichter für die Frauen. Was keineswegs bedeutet: ein femininer Dichter. Er besaß nur körperlich nicht die Männlichkeit jener robusten Art, die auszieht, den Drachen zu bekämpfen. Und was er sich da in seinem leidvollen melancholischen Gesicht an Bart wachsen ließ, das hing schwermütig-verlegen die Lippen herunter.

Es lag immer ein Schatten neben ihm, der Schatten des Todes. Und wenn er fröhlich wurde, wars gespenstisch. Denn kein Lächeln in Rilkes Gesicht, das nie laut lachte, löschte die geschnittenen Falten aus, die scharf rechts und links der Nasenflügel zu den Mundwinkeln zogen. Rilke ließ sich von seiner Wehmut von Reim zu Reim treiben

— Valéry würde sagen vom »ennui, qui est un grand générateur de poésie«.
(28)   (1940

THOMAS MANN [AN AGNES E. MEYER]   3. X. 41

(...) Die Rilke-Weiber müssen freilich übel gewesen sein, wobei ich
die Fürstinnen und Gräfinnen nicht ausnehme, mit denen der öster
reichische Snob korrespondierte. Ihr Urteil über ihn ist hart, aber
wahrscheinlich nicht zu hart, obgleich unbestreitbar ist, daß er außer
ordentliche poetische Höhen erreicht hat. Ich hätte mich nicht über
ihn ausgedrückt, wie Sie, aber ich widerspreche auch nicht. Sein lyri
scher Stil war neu, reizvoll und für Gleichstrebende offenbar äußerst
verführerisch. Aber sein Ästhetizismus, sein adeliges Getu', seine
frömmelnde Geziertheit waren mir immer peinlich und machten mir
seine Prosa ganz unerträglich. Rilke oder George — die Wahl ist
schwer. Rein kulturell gesehen, sind sie beide bedeutende Erscheinun
gen, aber eben Erz-Ästheten alle beide — der eine in femininer, der
andere in mann-männlich-sadistisch-diktatorischer Form. Dieser
wurde doch wohl der Gefährlichere; wenn er auch schließlich nicht
Präsident der Nazi-Akademie werden wollte und sich in der Schweiz
begraben ließ. —
(...)
(29)

ANDRE GIDE [AN HENRI DANIEL-ROPS]
                                                                            21. OKT. 1941
Rainer Maria Rilke.
Ich kenne kein Porträt von ihm, das ihn nicht verfälschte. Das ist, weil
die Züge seines Gesichts, der ganze Stoff seines Seins von einer Geistig
keit durchdrungen schienen, die kein Pinsel wiederzugeben ver
möchte. Man hatte den Eindruck, er wäre in seinem Körper niemals
ganz zugegen. Man spürte vor allem, daß er anderwärts weilte, in
einem geheimnisvollen Bereich, der für ihn wirklicher war als das

was wir Wirklichkeit nennen. Und nur in diesem Bereich konnte man ihm wahrhaft begegnen.

Dann wurde seine Freundschaft köstlich. Eine Art Scham hielt sein Gespräch im Zaum, und in der Andeutung mußte man ihn verstehen; auch er verstand in der Andeutung. Es scheint so, daß alles, was über ihn gesagt wird, um ihn zu bestimmen, ein wenig falsch ist und vergröbernd, wie das, was man über Ariel sagen würde. (30)

BERTOLT BRECHT   27. 10. 41

wir essen bei dem vorleser ludwig hardt, und das gespräch kommt auf RILKE oder die entwicklung des geschmacks auf kosten des appetits. da ist wieder die >feinheit< der deutschen bourgeoisie, feinheit des emporkömmlings, wo der empörer fehlt. die schule der bourgeois, der feudale salon fehlt in deutschland. da ist auch keine hauptstadt mit einem literarischen zentralmarkt, einem forum. die kunst hat kein leben, das leben ist der anlaß für die kunst. da sind nicht gedichte mit empfindung, sondern gedichte über empfindungen. charakteristisch das >berühmte< (natürlich gibt es auch nicht sowas wie echten ruhm) gedicht rilkes über den panther. ein unterdrückter, seiner freiheit beraubter tritt auf: der aristokrat! die schönheit der bestie, die unschuld im höheren sinn, die natur, die man nicht befragen soll. der spießer gedichtet die angelegenheit, erklärt seine unzuständigkeit, fragt aber doch: was muß der empfinden, in unsere hand gefallen? — übrigens ist es nicht die deutsche aristokratie, sondern die französische, die fremde.
(...)
(31)

KLAUS MANN

...) Rainer Maria Rilke, dessen späte Gedankenlyrik mich so oft mit Trost und Rat versorgt, wußte mehr als irgendein anderer von

diesem Glück pflanzenhaften Eingefügtseins, vom verlorenen Paradies des »reinen Raums«, »in den die Blumen unendlich aufgehn« und
dem auch die Mücke, »kleine Kreatur«, noch zugehörig bleibt. Schon
der Vogel aber — tragisch-bewußtes, problematisch-unabhängiges
Geschöpf, ein Hamlet fast, im Vergleich zur selig eingeordneten Rose
— hat keinen ganzen Frieden mehr, nur »halbe Sicherheit«.
(. . .)
(32)   (1942)

PAUL LEAUTAUD

Mittwoch, 11. März (1942) (. . .) Daß ein praktischer Geist wie Grasset
auch auf diesen Rainer Maria Rilke, diesen Fabrikanten von poetischem und metaphysischem Pathos, hereinfällt. Ich weiß nicht, ob
ich mir verkneifen kann, ihm das zu sagen (. . .) Vielleicht wollte er
zeigen, daß er durchaus imstande ist, alles zu würdigen. Zum Teufel
mit dem Eklektizismus! (. . .)
(33)

GOTTFRIED BENN

Rilke konnte allerdings noch die Seiten seiner Briefe mit Namen von
Edelleuten füllen, die eine sehr schöne Sammlung von — denk nur —
alten Livres d'heures besitzen und Ländereien und ein Schloß in der
Ukraine und ein Gestüt, wo sie arabische Pferde ziehen, das klang
noch nicht so fade, obschon es an lauter Gräfinnen ging und aus lauter
Schlössern stammte oder zum mindesten aus der Villa des Brillants
Meudon-Val Fleury (Seine et Oise), mit Datum und Tagesstunde präzisiert. Oder die Ergiebigkeit seiner Natur, aus der bekanntlich seine
Korrespondenz strömte, konnte die Angabe erfordern: »Ich habe am
Sonnabend, dem 1. Juni, mein erstes Hamam-Bad genommen mit
ganzem Genuß und ohne irgend Unbehagen. Es war herrlich, in der
guten Wärme zu sitzen, auf die ich ja durch unsere Wärme da unten
vorbereitet war, ich wünschte sogar, es gäbe auch außerhalb des Hamam davon.« Ein warmes Bad, Meudon, und dann ist auch das noch

zu rauh — eine kleine schöpferische Krise und drei Monate Viareggo oder Capri sind dem Künstler gestaltbar, die er in Kniehosen, also »gewissermaßen barbeinig« verlebt und: »da wollte ein kleines Klingen in mir anheben, vielleicht ein ganz kleines nur nach so langer Zeit, und da erschien es mir nicht gut, mit diesem Klangkeim in die große Eisenbahn und dann zu neuen Eindrücken in Genua und Dijon zu fahren und wichtig, die, wenn auch noch so kleine, Niederkunft hier abzuwarten.« Ein ganz Kleines nur und eine gute Wärme, Gemisch von männlichem Schmutz und lyrischer Tiefe, bezärtelt von Duchessen, hingeströmt in Briefen an die breithüftige Ellen Key — das ist die Größe von 1907. Glückliches Vaterland! Schließlich reimt sich alles, und es findet sich immer noch ein gräfliches Schloß, von dem aus man die Armen bedichtet; Gott erhört und die Federn geraten in Bewegung! Diese dürftige Gestalt und Born großer Lyrik, verschieden an Weißblütigkeit, gebettet zwischen die bronzenen Hügel des Rhonetals unter eine Erde, über die französische Laute wehn, schrieb den Vers, den meine Generation nie vergessen wird: »Wer spricht von Siegen — Überstehn ist alles!«

(34)   (zwischen 1940 und 1945)

STEFAN ZWEIG

(...)

Rilke wiederum bedeutete uns eine Ermutigung anderer Art, die jene durch Hofmannsthal in einer beruhigenden Weise ergänzte. Denn mit Hofmannsthal zu rivalisieren, wäre selbst dem Verwegensten unter uns blasphemisch erschienen. Wir wußten: er war ein einmaliges Wunder frühreifer Vollendung, das sich nicht wiederholen konnte, und wenn wir Sechzehnjährigen unsere Verse mit jenen hochberühmten verglichen, die er im gleichen Alter geschrieben, erschraken wir vor Scham; ebenso fühlten wir uns in unserem Wissen gedemütigt vor dem Adlerflug, mit dem er noch im Gymnasium den geistigen Weltraum durchmessen. Rilke dagegen hatte zwar gleichfalls früh, mit siebzehn oder achtzehn Jahren, begonnen, Verse zu schreiben und zu veröffentlichen. Aber diese frühen Verse Rilkes waren im Vergleich zu

47

jenen Hofmannsthals und sogar im absoluten Sinne unreife, kindliche und naive Verse, in denen man nur mit Nachsicht ein paar dünne Goldspuren Talent wahrnehmen konnte. Erst nach und nach, im zweiundzwanzigsten, im dreiundzwanzigsten Jahre hatte dieser wundervolle, von uns maßlos geliebte Dichter sich persönlich zu gestalten begonnen; das bedeutete für uns schon einen ungeheuren Trost. Man mußte also nicht wie Hofmannsthal schon im Gymnasium vollendet sein, man konnte wie Rilke tasten, versuchen, sich formen, sich steigern. Man mußte sich nicht sofort aufgeben, weil man vorläufig Unzulängliches, Unreifes, Unverantwortliches schrieb und konnte vielleicht statt des Wunders Hofmannsthal den stilleren, normaleren Aufstieg Rilkes in sich wiederholen.

(...)

(35)   (1942)

EMIL BARTH [AN GEORG GUSMANN]   27. DEZEMBER 1948

(...) Mein eigenes Verhältnis zu Rilke (...) ist im Laufe der Jahre aus dem ersten jugendlichen Zustand schrankenloser Bewunderung und Verehrung mehr und mehr in das der kritischen Absetzung meiner selbst von den fremden Grundzügen des Rilkeschen Wesens getreten, die mir so konträr sind, daß ich z. B. seine Briefe kaum ohne inneren Widerstand zu lesen vermag; seine Sprache, die dem Deutschen so unerhört sublime Ausdrucksmöglichkeiten hinzugewonnen hat, erscheint mir zumal in seiner Briefprosa von einem derart »privaten« Charakter, daß ich sie teilweise ausgemacht ruinös für ein Deutsch von allgemein-verbindender Natur und Artung empfinde. Was ich hier »privat« nenne, und was als solches am offensten in den Briefen erscheint, ist das gleiche, was auch in seiner Dichtung und zumal in den Duineser Elegien hervortritt und sich als allein dem Individuum zugehörig kundgibt, bis auf die Elemente einer Privat-Religion, eines Privat-Mythos. (...)

(36)

Ich lese einige Seiten der italienischen Übersetzung von Rilkes Duineser Elegien. Es gibt keinen allmählich ansteigenden Weg zu Rilke, man muß einen Sprung hinaufmachen, es ist so, wie wenn ein Flugzeug nicht zuerst sich langsam abrollte von der Erde, sondern schon oben sich befindet, sobald der Motor läuft.

Ist es das Dichterische, das sehr Dichterische, das die Menschen zu Rilke treibt? Ich glaube es nicht, es ist die große Einsamkeit bei Rilke, die die Menschen anzieht, sie holen bei ihm das Quantum Einsamkeit, das sie brauchen, um sich selber damit aus der eng aufeinander sich drückenden Masse herauszuholen. Rilke ist zum Lieferanten der Einsamkeit in einer vermassten Gesellschaft degradiert, so, wie Anfang der zwanziger Jahre Dostojewskis innere Leidenschaft dazu degradiert wurde, die expressionistische Dynamis zu motorisieren. Der Dichter gilt nicht als Dichter, man benützt ihn nur für die eigene psychologische Apparatur. Das Gedicht aber fängt an, sich selber zuzusingen, es über-singt das psychologische Gewirr unter ihm.

(37)

Johannes R. Becher   3. April (1950)

(...)

Seltsamerweise bin ich nie Rilke begegnet, obwohl wir irgendwie miteinander verbunden waren durch viele gleiche Freunde und Förderer, vor allem durch die unvergeßliche Katharina Kippenberg. Mit dem »zugleich« bei Rilke fühle ich mich tief verwandt. »Duineser Elegien« mir fremd, mehr noch: stehe diesen Abstraktionen ablehnend gegenüber. Aber es gibt herrliche Gedichte — unnachahmliche, überragend — Bleibendes.

(...)

(38)

Ich kannte damals, in diesen Jahren nach der Jahrhundertwende, nicht viel von Rilke, nichts im Zusammenhang. Das Stundenbuch gab mir wenig, der »Nachbar Gott« darin schien mir peinlich vor allem anderen, ich hielt mehr vom Buch der Bilder. Mir kam eine Zeitlang vor, als wäre Rilke in dem einen oder anderen der Gedichte daraus das bis zu einem gewissen Grade gelungen, was Mallarmé mit der Poesie erreichen wollte.

(...)

Den ersten großen, entscheidenden Eindruck aber erhielt ich durch die Hetärengräber und Orpheus, Eurydike und der Tod, die damals in S. Fischers Rundschau zuerst als Gedichte in Prosa erschienen sind. Die Umwandlung in Verse wurde vom Dichter gleich darauf für die Neuen Gedichte mühelos vollzogen, hat sich im übrigen beim Vorlesen ganz von selbst ergeben. Letztere erschienen bald nachher und verstärkten den ebenso gewonnenen Eindruck. Ich gab meiner Bewunderung laut und tätig Ausdruck, indem ich daraus vorlas, so oft sich Gelegenheit dazu ergab.

(...)

Rilke war ein sehr wahrhaftiger Mensch. Seine Wahrhaftigkeit kam aber aus der Unwahrhaftigkeit seiner Mutter, worauf er bei mehr als einer Gelegenheit, auch im Gespräch, zurückkam. Auch hier fehlt gewissermaßen der Logos zwischen der Wahrhaftigkeit des Sohnes und der Unwahrhaftigkeit der Mutter. So war dann seine Reife Überreife, mußte es sein, Geist sublimierte Sinnlichkeit, die Phantasie, der Geschlechtstrieb des Narciß. Und das Versagen der Lehre, die fallacy, Grund, Unterlage einer wundervollen Dichtung.

(39)   (1951)

Jean Cocteau

(...)

Eben diese Geheimsprache, die jedem Künstler eigen ist, entrückt die Werke in jene große Einsamkeit, von der schon die Rede war. Sie ist die Veranlassung, daß man sich fragt, ob die Kunst sich nicht nur an solche Personen wendet, die erraten, daß es sich um einen Rebus handelt, und sich damit zufrieden geben, sein Geheimnis zu wittern, oder aber an jene, die ihn nach einer verkehrten Methode auslegen, welche ihren Wünschen entspricht. Das war es wohl auch, was RILKE erklären wollte, als er mir schrieb, daß die Dichter eine einzige Sprache sprechen, selbst wenn sie in fremden Sprachen sprechen und einander nicht verstehen. Diese Sprache muß insofern ein einziges Idiom sein, als sie sich durch Zeichen mitteilt und diese Zeichen vermutlich einer allgemeinen Regel unterstehen, die jeder Dichter seinem Sprachgebrauch anpaßt.

(40)   (1953)

ALBERT VIGOLEIS THELEN

(...) Wenn Rilke, der so gern auf Schlössern und mit eingehenkten weißen Fürstinnen lebte, von der Armut sagen konnte, daß sie ein großer Glanz von Innen sei, dann hat er vielleicht an das mit dem Armsein Hand in Hand gehende Hungerleiden gedacht, welches tatsächlich zu einer inneren Lichtquelle werden kann. Die Knochen werden hohl wie bei den Vögeln der Luft und verwandeln sich in Leuchtröhren. (...)

(41)   (1953)

FRIEDRICH SIEBURG

(...) Die Versuchung liegt nahe, die Wirkung Klopstocks mit der Rilkes zu vergleichen, denn in beiden Fällen kann wahrlich von Nachahmung gesprochen werden. Aber wie wenig hat der verschämte und fast immer uneingestandene Rilke-Ton, der das heutige Dichten der Deutschen so stark bestimmt, mit dem deutlichen Bekenntnis zu einem Meister zu tun, dessen Ton zu treffen höchstes Glück der Gesellen war. Die Rilke-Imitation ist ja nicht das Stehen zu einem dichterischen, sondern zu einem weltanschaulichen Prinzip. Die poetischen Bestandteile dieser fast unbeschränkten Könnerschaft scheinen niemanden zu interessieren, dagegen nährt sich die moderne Empfindsamkeit an der Rilkeschen Lebensdeutung. Das ist wahrlich nicht die Haltung einer Dichterschule, sondern eher die einer Gemeinde, die von den klassischen Befreiungsakten, die im Zeichen der Sprache und mit ihrer Hilfe ausgetragen werden, wenig berührt ist. An Stelle des Rezeptes für das Dichten ist das Rezept für das Leben getreten. Der Dichter hat im Leben der Menschen eine völlig neue Stellung erhalten. (...)

(42)   (1955)

HANS ERICH NOSSACK

Der Begriff Lebensgefahr ist hier ein paarmal verwendet worden, um den höchsten Grad der Notwendigkeit und Hingabe zu kennzeichnen. Rilke ermahnt einen jungen Dichter: »Erforschen Sie den Grund, der Sie schreiben heißt; prüfen Sie, ob er in der tiefsten Stelle ihres Herzens seine Wurzeln ausstreckt, gestehen Sie sich ein, ob Sie sterben müßten, wenn es Ihnen versagt würde zu schreiben.« Und Rilke hat bewiesen, daß ihm der Rat keine Phrase war. Er hat zehn Jahre lang geschwiegen, aus der Einsicht heraus, daß ihm das, was er und wie er es bisher gemacht hatte, nicht mehr ausreichte. Zehn Jahre lang, ohne auf die zu hören, die seine bisherige Leistung für meisterhaft hielten. Eine ungeheure, schöpferische Tat, dies Warten und Schweigen, einzigartig in einem Zeitalter, das auf raschen Verzehr des jeweils Modernsten aus ist. Aber welch ein Risiko! Man wagt nicht daran zu denken.

(43)   (28. 12. 1956)

WILLY HAAS

(...) Und doch bleibt es wahr, daß wir alle, unsere ganze Generation, gar keinen Berührungspunkt mit Rilke hatten. Rilke stammte aus Prag wie ich, er war eine Generation älter als ich. Aber für die Generation des Werfel und Kafka und Max Brod existierte er kaum, wie ich schon festgestellt habe — ich meine, in ihren Werken wäre nichts anders gewesen, wenn Rilke nie gelebt hätte. Es war etwas in seinem

52

Werk und in seiner ganzen Figur, was wirklich abstieß: es war sein Adelssnobismus — genau das, was uns an Proust überhaupt nicht verstimmte, weil es ihm so gut saß wie ein Maßanzug. Rilke stammte aus einer kleinen, recht guten Beamtenfamilie. (...)

Die Rilkes wohnten — wie ich schon erzählte — in der Heinrichsgasse, ziemlich genau zwischen dem Haus, wo ich später wohnte, und dem, wo Werfel wohnte. Er gehörte etwa derselben Gesellschaftsschicht an wie wir. Alles, was Rilke in seinem Werk und in seinem Leben getan hat, um irgendwelche uradelige Abstammung anzudeuten oder dem Leser zu suggerieren, ist etwas, was mir, und ich glaube uns allen, furchtbar auf die Nerven gegangen ist. Das begann mit dem Tage, als das erste uns bekannte Werk von Rilke, das Gedicht vom Cornet Rilke, in einer Prager Zeitschrift, »Deutsche Arbeit«, erschien, und hat eigentlich nie aufgehört bis zu seinen letzten Werken, die man in der Tat bewundern konnte.

(...)

(44) (1957)

Karl Kerenyi   14. 11. 1957 Im Zug nach Rom

Erschrocken und erfreut — nur 11 Tage seit Ostia. Damals noch in der großen Duineser-ähnlichen Erfahrung, die mir den Ansturm, den Rilke erlitt, auf einer anderen, antiken Ebene begreiflich machte: Es ist klar: die »Engel« sind ein echtes, mythologisches Früherlebnis Rilkes. Sie sind nicht allegorisch oder symbolisch aufzulösen. Sie sind als ein dem Geist möglicher Standort erfahren worden, von dem aus Grenzen fielen, aber die Dinge nach ihrer Wichtigkeit oder Unwichtigkeit anders, als hier unten, sich scheiden ließen. Solch ein Standort kann auch im Heiligtum einer antiken Gottheit, etwa in dem des Hermes eingenommen werden. Offenbar war dies der Fall mit meinem »Hermes, der Seelenführer«, vielleicht auch mit meinem »Prometheus« und meiner »Niobe«. (...)

15. 1. 1959 Im Zug

(...) Rilkes französische Gedichte gelesen. Es ist eine Flucht aus einer

53

Sprache, nicht in eine andere Sprache, sondern nur in die Atmosphäre einer anderen Sprache. Alles wird unsprachlich, bloß atmosphärisch. (...)
(45)

MAX BROD

(...) Unvergeßlich bleibt mir die Vorlesung Rilkes in der Concordia, im »Spiegelsaal«. »Und hie und da ein weißer Elephant« — diese süße, wiederholte Zeile des Kinderkarussells im Pariser Luxembourg-Garten höre ich noch heute im leisen verzaubernden Tonfall von Rilkes Stimme. Übrigens bin ich nur dies eine Mal mit ihm zusammengetroffen; und auch da habe ich den verehrten Mann nur von fern erblickt, nicht mit ihm gesprochen. Ich sehe sein blasses, mageres, mongolisch wirkendes Gesicht, den herabhängenden Schnurrbart; im Gedränge nach dem Vortrag gleitet Rilke mit vielen anderen an mir vorbei. (Später gab es einen kleinen Briefwechsel zwischen uns, wie schon erwähnt.) Mein Leben lang habe ich Hemmungen gehabt, mich den Künstlern zu nähern, die ich am meisten geliebt habe. (...)
(46)   (1960)

HELMUT HEISSENBÜTTEL

(...) Die Form erlebte vom Ende des 18. bis in die Mitte des 19. Jahrhunderts eine Nachblüte im Kontrast, im Widerstand gegen ihre Konventionalität. Ihr Zerfall wurde handgreiflich, als die zerfallende Subjektivität über alle Vorprägungen hinauszudrängen begann, etwa, um ein deutsches Beispiel zu nennen, in den »Sonetten an Orpheus«. In den Sonetten Rilkes ist die spezifische Form zur in sich zerbröckelnden Mumie geworden. Ähnliches gilt, in noch weiterem Maße, für den Reim. Er läßt sich heute, meiner Ansicht nach, nur noch in parodierendem Sinne verwenden oder als Manifestation des Zufalls. (...)
(47)   (1961)

54

Nachweise

(1)   Briefe und Tagebuchblätter. Hrsg. und biographisch eingeführt von S. D. Gallwitz. 6. Aufl. München 1925. S. 121 f.

(2)   Hugo von Hofmannsthal — Harry Graf Kessler: Briefwechsel 1898—1929. Hrsg. von Hilde Burger. Frankfurt/M. 1968. S. 315.

(3)   Albert Soergel: Dichtung und Dichter der Zeit. 5., unveränderter Nachdruck. Leipzig 1911. S. 685 f.

(4)/(11)   Oskar Loerke: Tagebücher 1903—1939. Hrsg. von Hermann Kasack. Heidelberg, Darmstadt 1955. S. 56 bzw. S. 150.

(5)   Ernst Blass: Kritische Symphonie. In: Ich schneide die Zeit aus. Expressionismus und Politik in Franz Pfemferts ›Aktion‹ 1911 bis 1918. Hrsg. von Paul Raabe. München 1964. (dtv. Bd. 195/96. Dokumente.) S. 126.

(6)   André Gide: Offener Brief an Jacques Rivière. In: Rainer Maria Rilke/André Gide: Briefwechsel 1909—1926. Eingeleitet und mit Anm. vers. von Renée Lang. Stuttgart, Wiesbaden 1957. S. 71.

(7)   Kurt Pinthus: Zur jüngsten Dichtung. 1915. In: Expressionismus. Der Kampf um eine literarische Bewegung. Hrsg. von Paul Raabe. München 1965. S. 69. dtv sr. Bd. 41.

(8)   Karl Kraus: Briefe an Sidonie Nádherný von Borutin 1913 bis 1936. Bd. 1, München 1974. Seiten 118, 164, 309, 313, 347, 405, 432.

(9)   Hermann Hesse: Gesammelte Briefe, 1. Bd. 1895—1921. In Zusammenarbeit mit Heiner Hesse hrsg. von Ursula und Volker Michels. Frankfurt/M. 1973. S. 431.

(10)   Klabunds Literaturgeschichte ... Neugeordnet und ergänzt von Ludwig Goldscheider. Wien 1930. S. 322.

(12)   Rede zur Rilke-Feier in Berlin am 16. Februar 1927. In: Deutsche Literaturkritik im zwanzigsten Jahrhundert. Kaiserreich, Erster Weltkrieg und Erste Nachkriegszeit (1889—1933). Hrsg. von Hans Mayer. Stuttgart 1965. S. 465 f. und S. 479.

(13)   André Gide. In: Rainer Maria Rilke/André Gide: Briefwechsel 1909—1926. Eingeleitet und mit Anmerkungen versehen von René Lang. Stuttgart, Wiesbaden 1957. S. 186.

(14)   Hermann Hesse: Schriften zur Literatur 2. Hrsg. von Volker Michels. Frankfurt/M. 1972. S. 444 f.

(15)   Klaus Mann, 14. 1. 1927. In: Insel-Almanach auf das Jahr 1967. Frankfurt/M. 1966. S. 75.

(16)   In: Insel-Almanach auf das Jahr 1967. Frankfurt/M. 1966. S. 78.

(17)   An Marie von Thurn und Taxis-Hohenlohe, 1. 2. 1929. In: Insel-Almanach auf das Jahr 1967. Frankfurt/M. 1966, S. 80.

(18) (19) (20)   In: Rainer Maria Rilke. Stimmen der Freunde. Ein Gedächtnisbuch. Hrsg. von Gert Buchheit. Freiburg/Brsg. 1931. S. 173 und 175; S. 155; S. 89 f.

(21)   André Gide: Tagebuch Bd. III. 1889—1939. Stuttgart 1954. S. 496.

(22)   Lou Andreas-Salomé: Lebensrückblick. Grundriß einiger Lebenserinnerungen. Aus dem Nachlaß hrsg. von Ernst Pfeiffer. Neu durchgesehene Ausgabe mit einem Nachwort des Hrsg., Frankfurt/ Main 1974. S. 114.

(23)   Hermann Hesse: Schriften zur Literatur. 2. Bd.: Eine Literaturgeschichte in Rezensionen und Aufsätzen. Hrsg. von Volker Michels. Frankfurt/M. 1972.

(24)   In: Insel-Almanach auf das Jahr 1967. Frankfurt/M. 1966, S. 82.

(25)   Gottfried Benn. Hrsg. von Edgar Lohner. München 1969. S. 149. Dichter über ihre Dichtungen. Bd. 5. Studienausgabe.

(26)   Georg Lukács: Marx und das Problem des ideologischen Verfalls. G. L.: Probleme des Realismus I. Essays über Realismus. (Werke Bd. 4) Neuwied/Berlin 1971, S. 261 f.

(27)   Bertolt Brecht: Volkstümlichkeit und Realismus. In: Deutsche Literaturkritik der Gegenwart. Hrsg. von Hans Mayer. Vorkrieg, Zweiter Weltkrieg und zweite Nachkriegszeit (1933—1968). Stuttgart 1971. S. 204 f. (Goverts Neue Bibliothek der Weltliteratur).

(28)   In: Insel-Almanach auf das Jahr 1967. Frankfurt a. M. 1966, S. 84 f.

(29)   Thomas Mann: Briefe 1937—1947. Hrsg. von Erika Mann. Frankfurt/M. 1963. S. 213 f.

(30)   In: Rainer Maria Rilke/André Gide: Briefwechsel 1909—1926. Eingeleitet und mit Anmerkungen versehen von Renée Lang. Stuttgart, Wiesbaden 1957. S. 190.

(31)   Bertolt Brecht: Arbeitsjournal. Hrsg. von Werner Hecht. 1. Bd. 1938 bis 1942. Frankfurt/M. 1973. S. 310.

(32)   Klaus Mann: Der Wendepunkt. Ein Lebensbericht. Frankfurt/M., Hamburg 1963. S. 335. (Fischer-Bücherei. Bd. 560/61.)

(33)   Paul Léautaud: Literarisches Tagebuch 1893—1956. Eine Auswahl. Hrsg. und übersetzt von Hanns Grössel. Reinbek 1966. S. 176.

(34)   Gottfried Benn: Autobiographische und vermischte Schriften. Gesammelte Werke in 4 Bdn. Hrsg. von Dieter Wellershoff. Bd. 4. Wiesbaden 1961. S. 278 f.

(35)   Stefan Zweig: Die Welt von Gestern. Erinnerungen eines Europäers. o. O. 1949. S. 69 f.

(36)   Emil Barth: Briefe aus den Jahren 1939—1958. Hrsg. von Hans Peter Keller. Wiesbaden 1968. S. 115 f.

(37)   Max Picard: Zerstörte und unzerstörbare Welt. Erlenbach-Zürich 1951. S. 15.

(38)   Johannes R. Becher: Auf andere Art so große Hoffnung. Tagebuch 1950. Eintragungen 1951. Berlin, Weimar 1969. S. 210 und 597.

(39)   Rudolf Kassner: Zum Briefwechsel zwischen Rainer Maria Rilke und der Fürstin Marie von Thurn und Taxis-Hohenlohe. In: Rainer Maria Rilke und Marie von Thurn und Taxis: Briefwechsel. Bd. 1. Zürich, Wiesbaden 1951. S. XVII f. und S. XXXVII.

(40)   Jean Cocteau: Champollion. In: Walter Höllerer: Theorie der modernen Lyrik I. Reinbek 1965. S. 269.

(41)   A. V. Thelen: Die Insel des zweiten Gesichts. Bd. 1. München 1970. S. 244. (dtv. Bd. 703)

(42)   Friedrich Sieburg: Nur für Leser. Jahre und Bücher. München 1961. S. 136. (dtv. Bd. 3.)

(43)   In: Insel-Almanach auf das Jahr 1967. Frankfurt/M. 1966. S. 90.

(44)   Willy Haas: Die literarische Welt. Erinnerungen. München 1957. S. 164 f.

(45)   Karl Kerényi: Tage- und Wanderbücher 1953—1960. München, Wien 1969. S. 197 f. und S. 268.

(46)   Max Brod: Streitbares Leben. Autobiographie. München 1960. S. 200 f.

(47)   Helmut Heißenbüttel: Über Literatur. Olten, Freiburg 1966. S. 225 f.

III
Über Rilke
1975

Hilde Domin
Zur Rilke Rezeption, im Jahre 1975

Rilke, Fragezeichen? Eine Rilke-Renaissance im Jahre seines 100. Geburtstags?

Ich nehme hier Rilke als »Fall«. Ich frage Buchhändler. »Rilke wurde dieses Frühjahr wieder mehr gelesen. Das ist aber ins Stocken gekommen«, sagen die einen. »Wieso«, sagen die andern, die eine andere Klientel haben, »Rilke wurde doch immer gelesen«. In der Tat, ein Blick zeigt, der 1957 erschienene Band »Verstreute und nachgelassene Gedichte« (Bd. II der Gesamtausgabe) war 1963 bereits beim 10. Tausend angelangt: eine Auflage, die im gleichen Zeitraum kaum einer der Nachkriegslyriker erreicht haben dürfte. Ich frage Studenten und Bekannte der mittleren Generation: »Ich habe ihn in der Schule gelesen. Damals hat er mich beeindruckt«, antworten die meisten. Niemand sagte: »Nie gehört«, und das ist heute schon eine Menge. Wiederum: dieser Tage machte ein Student seinerseits eine Rundfrage. Er ging durch die Heidelberger Buchhandlungen und verlangte das Inselbändchen »Der Cornet«. Erst in der achten Buchhandlung wußte die Buchhändlerin, wovon die Rede war. Dabei war der »Cornet« ein Rausch gewesen, nach der Art des »Werther«, Rilkes populärstes Buch.

Wenn also Rilke offenbar einen festen und keineswegs kleinen Leserstamm bewahrt hat — etwas, was abschätzig »Gemeinde« benannt zu werden pflegt, im Gegensatz zum »Publikum« — und auch in den Schulen zum Pensum gehört oder doch gehörte, so ist es nicht weniger wahr, daß Rilke völlig »aus« war. Ist er jetzt wieder »in«? Darauf zielt das Fragezeichen. Darf »man« wieder von ihm sprechen, ihn zitieren, öffentlich ein Wort für ihn sagen? An dieser Frage schon scheiden sich die Geister: viele sind empört, wenn ich sage »darf«. Die Gesetze der Meinungsbildung werden als beschämend empfunden, auch wo ihnen gehorcht wird. Man spricht über sie womöglich noch weniger als über die von ihnen ausrangierten Autoren. Naturgesetze werden offenbar als weniger beschämend empfunden. Dabei beruht der gesellschaftliche Mechanismus, dessen sich die Kommunikationsapparatur bedient, doch nur auf dem Naturgesetz, daß Menschen so zustimmungsbedürftig sind, also lenkbar.

Rilkes black-out? Es war eine der Verblüffungen meiner Rückkehr nach Deutschland, 1954, wie abgewertet Rilke hier war, während er in Lateinamerika neue Übersetzer anzog. Wer etwas auf sich hielt, empfahl Trakl, als den ungleich Bedeutenderen.

Wenn man rückblickend die damalige Situation betrachtet: Eich war da, Bachmann war bereits auf der Szene, Celan mit »Mohn und Gedächtnis« (1952): sämtlich Autoren der Gruppe 47, des sogenannten »Kahlschlags«. Immerhin, Benn hatte ein starkes come-back, eine »hausse«, wie Krolow es nennt (Büchnerpreis 1951). Brecht stand noch vor der Tür, sozusagen. Das Heft »Versuche 13«, darin die »Buckower Elegien«, hatten wir zwar im Reisegepäck, aber nur, weil ein Univeritätsbuchhändler in den USA es uns geschenkt hatte: »Wollen Sie es? Es ist doch unverkäuflich«, sagte er.

Nehmen wir Hugo Friedrichs »Struktur der Lyrik«, 1956 — das als Amplifikator für Benns Lyriktheorie diente und zugleich Krolow als Erben der Moderne inthronisierte, im Jahr seines Büchnerpreises — ls symptomatisch für die Lyrikrezeption. Brecht fehlt. Rilke wird angegriffen wie niemand sonst, obwohl ihm »Größe« beiläufig attestiert wird. Er ist der eigentliche Sündenfall, Überbleibsel (»Nach-

spiel«) des »Dionysischen« in einer ganz dem Apollinischen zuge-
wandten Epoche, und wird hart hergenommen, auch wegen des Klim-
bims, den gewisse Gesellschaftskreise mit ihm getrieben haben: als
mit dem Dichter par excellence. Ein »fataler Musterfall« wurde aus
ihm gemacht, wie Friedrich es formuliert, die behutsameren Abgren-
zungen Benns erheblich verschärfend (die sich übrigens bei Benn auf
George und Hofmannsthals mitbezogen). 1956 sind auf jeden Fall
Benn, Trakl, Krolow die einzigen deutschen Poeten der Moderne, die
programmartig auf dem Deckel der »Struktur« stehen.

Es ist nicht ohne Reiz, festzustellen, daß in einem Augenblick, in dem
Rilke mehr oder weniger zum Schulbuchautor herabsank, ein junger
Autor zum deutschen Haupt- und Lieblingsdichter aufrückte, nicht
ohne Züge einer Kultfigur, dessen Werk ohne Rilke so nicht denkbar
gewesen wäre. Was auszusprechen der Lage der Dinge nach aber alles
verdorben hätte. Daher wurde Paul Celan allgemein zum direkten
Nachfahr Hölderlins erklärt, dem nach dem Abservieren Rilkes die
Rolle der poetischen Symbolfigur zugefallen war (siehe z. B. Rowohlt
Literatur Lexikon unter Celan).

Das definiert ein wenig, was es meint, daß Rilke »aus« war. Ich
selber habe bei Freunden den Brief eines jungen Musikers aus den
60er Jahren gesehen, der moderne Spanier vertonte und mitteilte, er
habe auch Rilkegedichte vertont, lasse sie aber »natürlich« in der
Schublade. Die Komplizenschaft, die das beim Empfänger eines solchen Briefes voraussetzt, das Einverständnis damit, daß man einen
Autor zwar mögen, sich aber nicht öffentlich seinetwegen kompro-
mittieren könne, das eben ist die vom Meinungsdruck ausgelöste
Selbstzensur.

War Rilke aus, ist er jetzt wieder »in«? Das würde sich daran zeigen, daß z. B. der junge Komponist seine Rilkevertonung ohne seeli-
sche Anstrengung, also mit Selbstverständlichkeit, aus der Schublade
hervorzöge. Und daß der Internationale Germanistentag 1980 ihn
wieder aufs Programm setzte, was er 1975, trotz des Jahrestags, offenbar nicht getan hat.

Ich habe hier nicht die Stichhaltigkeit der Einwände geprüft, die —

zunächst unter sehr viel Ehrenbezeugungen — von einem gewandelten Lebensgefühl her gegen Rilke erhoben wurden, und die dann, pauschaliert, zu einer veritablen »Quarantäne« führten. Entsprechende Einwände, respektvoll vorgetragen, erhebt heute Krolow gegen Benn (»Kindlers Literaturgeschichte der Gegenwart«), der nun als Hauptnutznießer einer »restaurativen Epoche« sich seinen »morbiden Ausdruckszauber« vorhalten lassen muß, sein »monströses ›lyrisches Ich‹«. Während Benn 1951 gegen Rilke geltend machte, er »verweile noch in der Sphäre der gültigen Bindungen und der Ganzheitsvorstellungen, die die heutige Lyrik kaum noch kennt«. Rilke jetzt wiederlesend finden wir ihn viel angeknackster, als er Benn vielleicht damals erschienen war. Der Leser bringt sich ja immer mit ins Gedicht. — Mit Erstaunen, aber doch sehr aufmerksam, nahm ich dieser Tage zur Kenntnis, daß Reich-Ranicki (FAZ, 2. 8. 75) eine gewisse Brecht-müdigkeit konstatiert (»als gehe es um Iphigenie auf Tauris«), und es schon für nötig hält, zu versichern, daß Brecht »dies alles überleben« werde. — Nicht unwesentlich für den Mißkredit, in den ein Dichter gerät, ist jeweils auch das Ärgernis, das seine Adepten geben. Die Rilkeaner waren unerträglich, das ist sicher. Die Brechtepigonen sind weniger enervierend, zumindest vorläufig noch.

Was die Rilkerezeption angeht, so wurde es heller am Ende des Tunnels, als der Suhrkamp Verlag die Insel übernahm und, mit ihren Beständen (dem »Kapital« des Hauses, kommerziell gesprochen), auch das stark abgewertete Werk dieses Dichters. Kein Verlag ist bei uns mehr »in« als der Suhrkamp Verlag, schon weil er die meisten Autoren hat, die »in« sind, was nicht ohne Wechselwirkung bleibt, naturgemäß. Bald tauchte Rilke in der »Bibliothek Suhrkamp« und damit zum ersten Mal wieder in den Schaufenstern der Buchläden auf. Ein Verlag wie Suhrkamp — aber es gibt bei uns keinen vergleichbaren — kann aus seinen Autoren und für seine Autoren das Beste herausholen.

Aber auch ein so entschiedener Vertreter seiner Autoren, wie Siegfried Unseld es ist, kann nicht alles: er kann nur, was der Augenblick erlaubt. Es muß ein Klima da sein. Zum Schaffen dieses Klimas kann vielleicht, in Maßen, beigetragen werden. Sicher ist, daß es erkannt und genutzt werden kann.

Jedem fällt hierzu sofort der Fall Hesse ein. Trotz Nobelpreis, trotz »Glasperlenspiel« war Hesse, im Gegensatz zu Thomas Mann, ins literarische Abseits geraten, worunter er selbst nicht wenig gelitten haben muß. Es ist mir erinnerlich, daß es ein Kopfzerbrechen für die Redaktionen war, welcher Autor von Rang sich für einen Hesse-Nachruf finden lassen würde. Aber kurz darauf erlebte man, dank den amerikanischen Hippies, eine Hessewelle sondergleichen, stapelweise lag er in den Fenstern, seine Jugendphotos auf ›hippy‹ getrimmt, wozu sie sich auch eigneten.

Sicher hätte Unseld, der über Hesse promoviert hat, ihm gern das einsame Alter erspart, wenn er gekonnt hätte. Plötzlich kam der Riesenerfolg. Daß er nur sehr zum Teil auf dem Niveau des Autors lag, der konsumiert wurde wie eine Droge, das war mitinbegriffen. Es ist müßig zu spekulieren, ob es Hesse dennoch gefreut hätte.

Eine Rilkehysterie dieser Art wird es nicht geben, das scheint schon festzustehen, tröstlicherweise. Die hübschen Inseltaschenbücher mit den Originalillustrationen, in denen Teile des Werks in diesem Jahr erschienen sind, schon rein preislich wahre Wunder moderner Verlagsleistung, kamen der »Nostalgiewelle« entgegen, und das sollten sie wohl auch. Aber unversehens erschien auf dem Buchmarkt ein amerikanischer »Indianerapostel« und lenkte den möglichen Leserstrom (kurz als »die Hesse-Leser« klassifiziert) um. »Wir wissen schon, wa die kaufen, wenn sie nur zur Tür hereinkommen«, sagen die Buchhändler.

Ein Artikel der Jugendstil-Boutiquen zu werden, Bestseller bei der hash-people, das hätte Rilke gerade noch gefehlt, nachdem ihm eben noch die Kundschaft der adligen Damen angekreidet worden war. Daß er barfuß mit Lou Andreas durch die russischen Wiesen lief, da konnte 1975 keine Attraktion mehr sein, dieser Effekt ist verbraucht. Furchtbar aber wäre es gewesen, wenn, nach der Abnutzung der »Vierbuchstabenworte«, nun eine Edelvokabelüberschwemmung her eingebrochen wäre, mit einem Schwupp »Engel« obenauf. Diese Aussicht hatte manchen, der von einem möglichen Rilke-come-back hörte, mit sehr gemischten Gefühlen erfüllt. Aber vielleicht wird all dies vermieden. Weil der Augenblick so »reif« nun wieder nicht ist. Und weil ein »Indianerapostel« oder sonstwer daherkommt, der ein geeigneterer Katalysator ist.

Denn auf der Suche ist man, das ist deutlich spürbar. Die Entleerung der aktivistischen Reizworte, ihr Absinken ins Politklischee, die Enttäuschung an der erhofften Alternative zur Familie (vgl. »Kursbuch 37« über das Ungenügen am Kommunedasein), das hat ein Vakuum ergeben, in dem sogar Poesie wieder rehabilitiert werden könnte: als Versuch zur Überwindung der akuten Identitätskrise. Denkbar wäre es, daß sich dabei für die Bemühungen des Verlags, Rilke an seinem 100. Geburtstag zu ent-tabuisieren, ein günstiges Klima ergäbe. Ohne Zweifel ist Rilke ja ein Dichter, der eine starke Sensibilisierung voraussetzt und auch beim Leser in Gang zu bringen vermag. (»Sensibilisierung«, das kommende Modewort, der »Motivierung« hart auf den Fersen. »Sind Sie motiviert?« = »Haben Sie Gründe?« — »Sind Sie sensibilisiert?«, »Sind Sie abgestumpft, oder regt sich noch Mensch in Ihnen?«.) Dabei wird das analytische Lesen weniger zu kurz kommen als früher, denn seither hat sich der Blick für das artistische Können geschärft, das selbst ein »Macher« wie Benn an Rilke hervorhob. Neuerlich auch wieder Krolow.

Kurz, das heikle Nähe/Ferne-Verhältnis, immer entscheidend für die Aufnahme von Kunst, hat sich in diesem Vierteljahrhundert gewandelt: Rilke ist inzwischen weit weggerückt, sein Kult ist verraucht. Und vielleicht kann er nun ganz einfach wieder gelesen werden wie andere große Dichter auch: mit Freude, mit Kritik, aber ohne Scham. Um jedem Mißverständnis vorzubeugen: mein Thema war die Rezeption. Aber ob einer »in« ist oder »aus«, das ist ein untergeordneter Gesichtspunkt. Auch Hölderlin hatte seine Eklipse. Auch Bach. Auch Mozart. Wichtig ist nur, daß das da ist: im großen Vorratsschrank der Menschheit. Nahrung für den Geist, der dessen bedürfen wird. Immer ein anderer.

Daß ein literarisches Werk überdies im »Vorratsschrank« eines aktiven Verlages sich befindet (wovon hier die Rede war), das ist eine Chance für den Moment. Etwas von der Art »Glück«, dessen die Kunst wie der Mensch bedarf. Aber nichts kann — auf die Dauer — »gemacht« oder »gemanagt« werden, das glaube ich fest, es habe denn Existenz in sich selbst.

Friederike Mayröcker
Erinnerung an Rilke

1

die Wieder-Verfestigung meines Eindrucks ich hätte ihn nie gesehen
zwingt mich in das beunruhigende Gefühl er müsse es mir verübeln
wenn ich ihm nachspürte *ein weißes Wild im Dornenbusch*

2

als Rilke 1926, 29. Dez. stirbt bin ich 2 Jahre und 9 Tage alt

3

er erzählt mir daß es im Jahre 24, hier nach dem Krieg, zum erstenmal
Bananen gegeben habe; er habe damals zum erstenmal welche gegessen

4

wir sitzen auf dem Kahlenberg an einem lauen Abend zusammen und
er kauft mir ein Püppchen das auf Knopfdruck sich rundherum dreht
während eine Musik ertönt Lockenkopf Häkelkleid Fingerputz über
und über rosa

5

er wechselt fortwährend Farbe die Beziehungen zu den Dingen sind
mit Nerven ausgestattet

6

3 Buchsbäume in grünen Holzeimern werden über den Hohen Markt spazierengefahren; sie schwanken auf dem offenen Pferdewagen über das holprige Pflaster. Wir auf dem Kutschbock erblicken uns in einer Spiegelscheibe während das Fuhrwerk um eine Straßenecke biegt, denn das selbe macht sich Flügel

7

schwört am Rheinknie diese Stadt nie mehr betreten zu wollen, da geriet natürlich viel Wasser hinein

8

ich bin sonderlich, zu seinen Füß: der Lampist — das Unterlamm!

9

hastig der (Kunst) Griff nach dem Ruhm *vielleicht ein Pflaumenbaum/ von dem ein Kuckuck hastig abgeflogen*

10

preßte die Ziehharmonika an seine Brust beäugte mich, ich ritt auf seinen Knien und wiegte mich im leichten Takte der Musik

11

du sprichst diese Sprache zierlich, wie eine Spieluhr, sagt er zu mir; ich hatte erst zu schreiben angefangen

12

mit 15 lese ich heimlich den Himmlischen unter der Schulbank während des englischen Phonetikunterrichtes; mit 50 ist er mir ferne gerückt

13

wir bewegten uns fort sitzend in seinem Fahrzeug in meinem Kopf rasseln mehrere Gespräche mit ihm gleichzeitig, wie bei eingebrochenen Leitungen

14

das Alpenvorland verlassend schaukelten wir in die Ebene der neuen Städte zurück

Walter Helmut Fritz
»... daß aus den Hemmungen erst die Bewegung entsteht«

Wichtig geworden sind mir zuerst die 1907 — unter dem Eindruck einer Gedächtnisausstellung für den ein Jahr zuvor verstorbenen Maler — an Clara Rilke gerichteten Briefe über Cézanne, seine Bilder, seine Arbeitsweise. Bis in seine späten Jahre hinein hatte Rilke den Wunsch, ein Buch über Cézanne zu schreiben. Er hat den Plan nie verwirklichen können. Doch bilden seine Briefe über ihn ein in sich so abgestuftes Ganzes und machen sie so deutlich aufmerksam auf sich durch ihre Unmittelbarkeit, durch die Betroffenheit, die sich in ihnen zeigt, daß man sich kaum vorstellen kann, wie ein später entstandenes Buch sie an erhellender, aufschließender Schilderung hätte übertreffen sollen.

Gelegentlich ist in den Cézanne-Briefen die Neigung, den Begriff der Kunst zu verabsolutieren. Wo diese Neigung zu Tage tritt, beginnt sich der Zugang zu ihnen zu verschließen. Aber es gibt genug Abschnitte in ihnen, die sie einem auch heute nah sein lassen. Zum Beispiel der Hinweis, mit wie wenig Cézanne bei der Arbeit auskam, wie wenig er brauchte, wie selbst das Abgelebte für ihn Bedeutung haben konnte, wie die unscheinbarsten Gegenstände seinen Blick auf sich zogen, wie sehr gerade das Unauffällige ihn zu seinen Bildern brachte. »Von welcher Dürftigkeit sind bei ihm alle Gegenstände: die Äpfel sind alle Kochäpfel und die Weinflaschen gehören in rund ausgeweitete alte Rocktaschen.« Äpfel oder Weinflaschen malt er »und was er gerade findet«. Von solchen Zufällen sollten die Bilder bestimmt sein? So nebensächlich sollte das sein, was auf ihnen dargestellt war? Die alltäglichen Dinge — unfeierlich, gar vernutzt — waren die richtigen Gegenstände. Cézanne »zwingt sie ... die ganze Welt zu bedeuten«.

Der sich daraus ergebenden Anstrengung hat Cézanne sein Leben gewidmet. Sie ließ ihn atmen, gab ihm Kraft, gab ihm Hoffnung, ließ ihn warten auf den nächsten Tag, an dem er weitermachen konnte, an dem er ein Stück weiterkommen, an dem er abends für ein paar Stunden wieder schaffenssatt sein, an dem er eine Weile im Garten sitzen würde »wie ein alter Hund, der Hund dieser Arbeit, die ihn wieder ruft und ihn schlägt ...«

Rilke verstand vor den Bildern Cézannes, daß man Widerstand braucht, um das Bild, das Gedicht, die »Figur« zu finden, daß auch plötzliche Mutlosigkeit, daß Mißlingen dazugehören, »daß aus den Hemmungen erst die Bewegung entsteht«.

Er verstand, »wie sehr ohne Sorge um Originalität« Cézanne gearbeitet hat, wie wenig es auf das »Originelle« ankommt, »wie sehr das Malen unter den Farben vor sich geht, wie man sie allein lassen muß ... Wer dazwischenspricht, wer anordnet, wer ... seinen Witz, seine geistige Gelenkigkeit irgend mit agieren läßt, der stört und trübt schon ihre Handlung«.

In Cézanne erkannte Rilke die »Waage eines unendlich bewegten Gewissens«; das nicht zu täuschende Gespür für »Gerechtigkeit«; das Verständnis dafür, »wie schwer es wird, wenn man ganz nah an die Tatsachen heran will«. Vor den Bildern dieses Malers begriff er: »Alles Gerede ist Mißverständnis. Einsicht ist nur innerhalb der Arbeit«.

Die Cézanne-Briefe waren bekanntlich für den »Malte« von Bedeutung. Bestimmte Partien der Briefe tauchen im »Malte« wieder auf (»Der Tod des Kammerherrn, das ist das Leben Cézannes«). Da-

Buch hat mich wiederholt beschäftigt, mit seinem Erschrecken: »Die Existenz des Entsetzlichen in jedem Bestandteil der Luft. Du atmest es ein mit Durchsichtigem; in dir aber schlägt es sich nieder, wird hart, nimmt spitze, geometrische Formen an zwischen den Organen; denn alles, was sich an Qual und Grauen begeben hat auf den Richtplätzen, in den Folterstuben, den Tollhäusern, den Operationssälen, unter den Brückenbögen im Nachherbst: alles das ist von einer zähen Unvergänglichkeit . . .«

Innerhalb der Lyrik Rilkes sind es wohl in erster Linie die späten, nach den »Duineser Elegien« und den »Sonetten an Orpheus« entstandenen Strophen, die für einen heute Schreibenden aufschlußreich sind, Zeilen, die »ins lautlose Abenteuer/des Zwischenraums« führen oder über »Brücken, die ruhen auf Pfeilern von Licht«, ganz zurückgenommene Zeilen:

An der sonngewohnten Straße, in dem
hohlen halben Baumstamm, der seit lange
Trog ward, eine Oberfläche Wasser
in sich leis erneuernd, still' ich meinen
Durst . . .

Verse auch, bei deren Lektüre — wie bei der aller seiner reifen Werke — es gut sein mag, sich für Augenblicke die Leere, die Trivialität dessen bewußt zu halten, was Rilke in seinen frühen Jahren, bis kurz vor der Jahrhundertwende, geschrieben hat. Eine der erstaunlichsten Entwicklungen der Literatur.

Karin Struck
Rilke. Eine Notiz.

>»Muttertum und Tod, das sind doch
>die größten Dinge dieser Erde«.
>Paula Modersohn-Becker.

In Petzets Buch »Das Bildnis des Dichters« über die Beziehung zwischen Rilke und Paula Modersohn-Becker steht über Rilke der Satz: »Hier spricht nicht ein Mensch, der sich vornahm, den Tod zu bedenken, sondern der unmittelbar von ihm angerührt worden ist.« Ich wollte von meinem Widerwillen gegen Rilke schreiben und daß ich über ein Verhältnis zu seinem Werk nichts schreiben könne.

Ich wollte schreiben, daß mich das »lyrische Ungefähr« seiner Arbeiten störe (»lyrisches Ungefähr«, ein selbstkritischer Ausdruck Rilkes in einem Brief an Hermann Pongs), daß er zwar proklamiere, in seinem »Malte«: »Er war ein Dichter und haßte das Ungefähre«, daß Rilke aber so »ungefähr« wie nur möglich sei und daß ich von diesem Schriftsteller nichts lernen könne ...

Aber dann passierte einiges in meinem Leben, und ich kann nicht mehr so hochnäsig über Rilke hinweggehen. Vielleicht muß man den Tod wenigstens einmal ahnen, ihn spüren, oder nah an ihm vorbeigehen, ihm gerade noch entkommen, um Rilke lesen zu können. Ich sage das als Frage.

Anfang des Jahres hatte ich Rilkes »Testament« gelesen, und damals hatte ich noch notiert: »Daß mir Rilke widerlich ist, dichterisch unwahr, lügenhaft, ohne wirkliche Selbsterkenntnis seiner Selbsttäuschungen. Aber er führt ja doch einen Kampf mit seinem Unwahrsein, und der ist auch wieder eindrucksvoll.« Was für eine bedeutsame Frage, bedeutsam ja gerade für das Schreiben: »War diese Angst vor dem Geliebtwerden, die aus den frühesten Leiden seiner Kindheit stammte und ihn nie verließ, eine Warnung, der er folgen mußte bis zuletzt, oder kam es darauf an, wie von einem ältesten Irrthum, von ihr geheilt zu sein?«

Seit ich Rilkes »Aufzeichnungen des Malte Laurids Brigge« gelesen habe, hat sich meine Abwehr gegen Rilke in Sympathie verwandelt, in die Hoffnung, nun endlich einmal einen Autor gefunden zu haben, zu dem eine kontinuierliche, lange Beziehung möglich sein werde. Ich habe den »Malte« jetzt zweimal gelesen und möchte mich in den nächsten Monaten immer wieder mit ihm auseinandersetzen, möchte versuchen, diesen Text, auch die Form dieses Textes und gerade sie, in mich aufzunehmen. Es ist ein Text, der Gerüst, der Ufer sein kann für einen Autor, der als Zeitgenosse sich nicht nur »vornimmt«, über Sterben und Tod zu schreiben, sondern der, von Sterben und Tod berührt, darüber schreiben will. Sicher, in der Wissenschaft ist dieser Text so und so eingeordnet. Aber kommt es nicht darauf an, daß man auch einmal von dem Satz Benjamins ausgeht: Ein Schriftsteller, der die Schriftsteller nicht lehrt, lehrt niemanden? Man muß für sich eine intensive Beziehung zu einem Text schaffen. Man muß sich mit ihm einlassen ...

Früher, in der Schule zum Beispiel, kannte ich fast nichts von Rilke. Ich mußte das Gedicht »Der Panther« auswendig lernen und vortragen. Aber das fiel mir erst jetzt wieder ein. Auf der Universität kaufte ich mir kurz vor der Zwischenprüfung zwei Bände der dreibändigen Insel-Ausgabe, Prosa und Gedichte. Das war 1968. Aber damals las ich nur einen Teil des Rodin-Essays, weil ich mich zu Rodins Arbeiten hingezogen fühlte und kurz vorher in Paris Rodins Plastik »Der Kuß« gesehen hatte. Auch die Einleitung zu Rilkes Schrift über

Worpswede las ich und unterstrich mir mit dickem Stift den Satz: »Und schließlich bescheiden sich die Einen und gehen zu den Menschen, um ihre Arbeit und ihr Los zu teilen, um zu nützen, zu helfen und der Erweiterung dieses Lebens irgendwie zu dienen, während die Anderen, die die verlorene Natur nicht lassen wollen, ihr nachgehen und nun versuchen, bewußt und mit Aufwendung eines gesammelten Willens, ihr wieder so nahe zu kommen, wie sie ihr, ohne es recht zu wissen, in der Kindheit waren. Man begreift, daß diese Letzteren Künstler sind ...« Und dann las ich damals, 1968, weil ich im Kino Cocteaus Orpheus-Film gesehen und damals fast nicht verstanden hatte, Rilkes Gedicht »Orpheus. Eurydike. Hermes«. Wenn es ein Interesse an Rilke gab, ein sehr kleines, mageres Interesse, dann war es noch kein primäres ...

Rilkes hundertster Geburtstag ist am 4. Dezember 1975. Vielleicht ist jetzt der Zeitpunkt, an dem man diesen Autor neu lesen und verstehen kann. Im Jahr 1968, auch wenn ich Rilke damals gelesen hätte, hätte ich ihn wahrscheinlich nicht aufnehmen können: »Manches kam mir in die Hände, was gleichsam schon hätte gelesen sein müssen, für anderes war es viel zu früh ...«, heißt es im »Malte« über das Lesen. Jedes Jahr ist ein Jahr des Todes, aber können wir Rilke, den »Schüler des Todes«, ertragen, können wir die »Todesvertrautheit« dieses Autors aufnehmen?

Im Frühjahr dieses Jahres war ich am Grab der Malerin Paula Modersohn-Becker in Worpswede und sah dort das Grabmal einer sterbenden Mutter von Bernhard Hoetger; einige Monate später las ich Rilkes »Requiem für eine Freundin«, las ich auch das andere »Requiem«-Gedicht. Mein Interesse für die Arbeiten von Paula Modersohn-Becker hatte sich während des Schreibens an dem Roman »Die Mutter« entwickelt; und ich freute mich, als sich dieses Interesse auch wieder als einer der Wege zu Rilke hin erwies. Paula Modersohn-Beckers Rilke-Bildnis in Bremen hat mich sehr beeindruckt.

Ich las von Walther Rehm das Buch »Orpheus. Der Dichter und die Toten«, darin den Essay über Rilke; was dort über Rilkes »Todestheorie« zu lesen war, hat mich wirklich »umgeworfen«. Das hatte ich überhaupt noch nirgendwo gefunden, daß ein Autor mit einer solchen Konsequenz vom Tod schrieb und sich diesem Thema aussetzte, wie es hier von Rilke berichtet wird. Der Gedanke, das Bild: daß der Tod im Menschen wächst; daß der Mensch am Tod in sich arbeiten müsse; daß die Todesfurcht zugleich der erste Moment gesteigerten persönlichen Lebens sei; daß es einen »eigenen« Tod geben müsse wie ein »eigenes« Leben; daß Rilke den Tod nicht aus dem »Leben« herausisoliert. Das faszinierte mich. Als ich dann den »Malte« las, wurde mir bewußt, daß ich zwar Formen der Todeserfahrung, aber noch nie einen Tod nahestehender Menschen erlebt hatte; daß die Todeserfahrung im engeren Sinn fehlt; daß, um leben zu können, die Erfahrung des Todes aus nächster Nähe wichtig ist; daß vielleicht ihr Fehlen unbestimmte Angst und Depression erzeugt. Rilke nennt sich einen »Schüler des Todes«. Ich glaube ihn so zu verstehen, daß er nicht den »Tod« gegen das »Leben« verherrlicht, sondern daß seine »Todesbereitschaft« das »Leben« sucht. Erschreckend aufrüttelnde Bilder: »Und wenn das Kreißbett da ist, so gebären wir unsres Todes tote Fehlgeburt.« Wer möchte seinen Tod als tote Fehlgeburt erleben? Rilkes Schreiben gegen den fabrikmäßigen Tod beeindruckt mich; und zugleich bemerke ich mit Erstaunen sein fabrikmäßiges Lieben (»Rilke et les femmes«), sein Unvermögen zu bleiben, zu lieben, von dem er z. B. im »Testament« schreibt (auch im »Malte«). Da gibt es Stellen im »Malte«, die man sich ganz einverleiben möchte in Fleisch und Blut, damit man sie nicht wieder verliert; die man sich in seine Brieftasche stecken und jahrelang dort tragen möchte mit der Hoffnung, so den Tod besser verstehen zu können. Das sind auch Stellen, die man in die Nachtstationen der Krankenhäuser schmuggeln möchte, die man den Krankenschwestern und Ärzten erzählen möchte, die man den Witwen erzählen möchte und denen, die viel Todesangst haben. Das sind Stellen, die man sich als vorbildlich für das eigene Schreiben hinlegen möchte; manchmal sind es sogar Sätze, die wie konkrete Anweisungen sind: Im »Malte« heißt es, daß die Erinnerungen erst »Blut werden« müssen, man müsse sie vergessen können; es ist die Rede vom literarischen Wachstumsprozeß (man muß es wieder ganz neu denken: Ernst Toller zum Beispiel schreibt zu seinem Gedichtband »Das Schwalbenbuch«: »Gewachsen 1922 Geschrieben 1923«): in einer Zeit, die eine immer raschere literarische Produktion und doch das »Originäre« wünscht... »Aber auch bei Sterbenden muß man gewesen sein, muß bei Toten gesessen haben in der Stube mit dem offenen Fenster und den stoßweisen Geräuschen.« Wer mag schon darauf warten, daß Erinnerungen und Erfahrungen in dem Schreibenden »Blut werden ..., Blick und Gebärde«?

Dieses »Warten« könnte man ja mal wieder zu lernen anfangen; und auch ein bißchen Vorstellung von der »Berufung« des Schreibenden könnte wieder in die Köpfe (nach all dem Wortproduzententum, nach all dem: Ein Schriftsteller sein ist ein Beruf wie jeder andere, wie Metzger sein ...).

Ich bitte um einen Rilke von innen u n d von außen. Innerlichkeit ist vielleicht jetzt das Progressive. Ob Marx soviel über den Tod gewußt hat wie Rilke? Wo schrieb Marx, wo schrieb Lenin, wo schrieb Rosa Luxemburg über den Tod?

Die »Aufzeichnungen des Malte Laurids Brigge«: dies ist ein Text wie ein Steinbruch; scheinbar sprunghaft und oft ohne Zusammenhang; Thema ist nicht nur Tod und Tod der Liebe, Sterben und Kindheit, sozialer Abstieg und Heimatlosigkeit; das Thema ist auch die Suche nach der Form (Form des Sterbens, Form des Lebens, Form des Todes). Ich dachte einmal beim Lesen: der Tod gibt am meisten Form, denn die Stellen, an denen das Sterben des Großvaters, des Vaters, der Mutter beschrieben ist, sind meiner Meinung nach die strukturiertesten. Zum Schluß hin schien mir der Text immer mehr zu zerfasern. Aber das Sprunghafte des Textes: entsteht es nicht notwendig aus der Suche nach der Beschreibung von Stadien der Todes-Furcht, Stadien der Todes-Erfahrungen, Stadien der Todes-Erinnerungen? Und so vieles, was ich zuerst befremdet zur Kenntnis nahm (zwischendurch ja immer wieder der Verdacht gegen den Dichter, als sei er ein ungebetener Vertreter an der Haustür, ein Zeuge Jehovas, ein Hochstapler, gerade gegen Rilke dieser Verdacht: wie legitimiert er sich, wer bestimmt denn, wer Dichter ist, wer berufen ist, wer wirklich Wahr-

heiten schreibt . . .?), was ich in den Bereich des »lyrischen Ungefährs«
verbannen wollte, bekam nach einigem Nachdenken reale Bedeutungen, zum Beispiel die »Gespenstererscheinungen«, die Erscheinungen
der Toten, die bei Rilke plötzlich durch den Raum gehen, nur daß man
nichts sieht, aber sie sind da, und der Hund läuft entgegen; diese
Beschreibungen machen Toten-Stille hörbar, Toten-Leere sichtbar,
buchstäblich sichtbar. Die Lücke, die der Tod reißt, macht Rilke be-
schreibend sichtbar. Ja, die Form der »Aufzeichnungen« könnte ich
eine »Entstehungsform« nennen; die Gerüste sind noch erkennbar; ich
lese den Prozeß des Entstehens immer mit. Die Form deutet auf Formen hin, die sie selbst noch nicht verwirklicht. Canetti sagte einmal,
man müßte den Tod in all seinen Erscheinungsformen im alltäglichen
Leben aufspüren, wie er unmerklich die scheinbar mit ihm am wenigsten zusammenhängenden Gebiete durchdringe. Rilke hat das im
»Malte« getan. Aber was mich auch noch fasziniert, das ist der Versuch Maltes, sich durch die Vergegenwärtigung der Kindheit und des
Sterbens, durch eine Vergegenwärtigung des Todes, Bruchstücke einer
Identität zu erarbeiten. Seine Solidarität mit den Sterbenden, mit den
Toten fasziniert mich. »Wie graute mir immer, wenn ich von einem
Sterbenden sagen hörte: er konnte schon niemanden mehr erkennen.«
»Wenn meine Furcht nicht so groß wäre, so würde ich mich damit
trösten, daß es nicht unmöglich ist, alles anders zu sehen und doch
zu leben.« Malte ist mitten in einem sozialen und psychischen Erneue-
rungsprozeß, und dadurch den Sterbenden, auch den Gestorbenen
(Vater, Mutter, Großvater) sehr nah.

Der Text ist gar nicht ausschöpfbar; man müßte auf ihn antworten
in einer ihm adäquaten, ihn weiterführenden Form, um ihm gerecht
zu werden. Eines ist mir beim Lesen noch bewußt, geradezu erschrek-
kend klar geworden: Realismus ist nicht immer das, was sich selbst
als solchen erklärt. »Es wundert mich manchmal, wie bereit ich alles
erwartete aufgebe für das Wirkliche, selbst wenn es arg ist.« Ein Satz
in »Malte«, und was für ein schöner Satz!

Besonders mag ich in diesem Text die Vermummungsszene: Malte,
das Kind, verkleidet sich in alten Kleidern, die er in Schränken findet

(»Aber es galt zu erfahren, was ich eigentlich sei«), dann später kann er sich nicht wieder befreien, er weint, aber die Maske läßt die Tränen nicht hinaus. Und kurz vorher dann die Stelle: »Es fiel uns ein, daß es eine Zeit gab, wo Maman wünschte, daß ich ein kleines Mädchen wäre und nicht dieser Junge, der ich nun einmal war.« Die Bedingung von Maltes Existenz ist, daß er schon eine Vorgängerin hat, ein Kind, das der Mutter gestorben ist, eine Tote, dessen Stelle er einnimmt...

Das Thema des Buches ist ein psychischer Dekompositionsprozeß; die Auflosung seiner Form ist die Auflösung seiner Personen; der Versuch, Form zu finden, sei es auch eine Form der Auflösung (»Aufzeichnungen«), ist der Versuch, Komposition, Identität, Zusammenhang, Zusammenhalt zu finden. Die Gesichter sollen nicht mehr abfallen... Oder ist der Schluß nicht doch Auflösung, Zerfasern, Verlust, nur durch den Namen »Gott« haltbar gemacht? Ja, ein heiles Buch ist der »Malte« nicht. Niemand wird geheilt.

Christoph Meckel
Rilke?

Ich hatte ihn nie gemocht, aber immer wieder gelesen. Die ständig gespreizte, fortwährend salonfähige und selbstgefällig gurrende Schöngeisterei, die prätenziöse Korrespondenz, das zeitraubende, delikate und feingestimmte Räsonieren über Bildungserlebnisse, Arbeitsschwierigkeiten, Liebe und Tod, manikürte Grammatik und blendende Perfektion der Reime, die von unechten Tönen unerträglich glitschig klingende Manier seiner lyrischen Sprache — zum Teufel damit. ARMUT IST EIN GROSSER GLANZ AUS INNEN: diese unzumutbare Zeile hat George Grosz zum Titel einer Zeichnung gemacht, auf der verelendete Gestalten des Proletariats zu sehn sind, und es freut mich heute noch, daß es gerade George Grosz war, der die deutlichste Kritik an Rilke vorbrachte. Ein paar wahrhaftige Zeilen von Trakl oder Attila Joszef, und es gab für mich keinen haltbaren Rilke mehr. Das für mich peinlichste Gedicht ist die ODE AUF BELLMANN, eine fast erheiternde Albernheit: »Ach Bellmann, Bellmann, und die Nachbarin: / ich glaube, sie auch kennt, was ich empfinde, / sie schaut so laut und duftet so gelinde; / schon fühlt sie her, schon

79

fühl ich hin —, / und kommt die Nacht, in der ich an ihr schwinde: / Bellmann, ich bin! / Da schau, dort hustet einer, doch was tuts, / ist nicht der Husten beinah schön, im Schwunge? / Was kümmert uns die Lunge! / Das Leben ist ein Ding des Übermuts. / Und wenn er stürbe. Sterben ist so echt«. etc.

Danach entdeckte ich sein letztes Gedicht, geschrieben ein paar Tage vor seinem Tod, als das Leiden alle Nachempfindungen ausschloß und der Schmerz konkret, das Elend nicht mehr zu beschönigen war: »Komm du, du letzter, den ich anerkenne, / heilloser Schmerz im leiblichen Geweb: / wie ich im Geiste brannte, sieh, ich brenne / in dir; das Holz hat lange widerstrebt, / der Flamme, die du loderst, zuzustimmen, / nun aber nähr' ich dich und brenn in dir. / Mein hiesig Mildsein wird in deinem Grimmen / ein Grimm der Hölle nicht von hier«. etc.

Dieses Gedicht hat mich wie kein anderes von Rilke überzeugt. Es überzeugt mich, weil unabänderliches Leiden ihn wahrhaftig, rückhaltlos und stark machte. Seither, und von diesem Gedicht aus, entdecke ich immer mehr Großartiges: die präzise und inspirierte Optik, die fast grenzenlose Musikalität in den Stücken ohne Manier, ein paar einfache Verse aus seinen letzten Jahren, den Anfang des Malte Laurids Brigge, die unerhörte Weiträumigkeit in der Konzeption der Duineser Elegien. Die vielen Unmöglichkeiten seines Werkes und seiner Erscheinung, das zeitbedingte Marzipan sind mir gleichgültiger geworden. Er ist ein großer Lyriker des Jahrhunderts.

Rainer Kirsch
Nach Rilke gefragt

Ich rechne Rilke zu den großen deutschen Dichtern, d. i. zur »ersten Reihe«, in die Gryphius, Günther, Goethe, Hölderlin, Trakl, Heym, Brecht gehören. Letzten Monat erläuterte die »Literaturnaja Gazeta« eine soziologische Studie über die Gleichgültigkeit britischer wissenschaftlichen Personals gegenüber schöner Literatur mit dem Satz, die Leseunlust der Doktoren betreffe nicht allein nur wenigen Eingeweihen zugängliche Autoren wie Rilke, sondern auch leichte wie Dickens. Das Urteil, Rilke sei hermetisch, ist wahrscheinlich von dummen Verehrern aufgebracht und wird nun nachgeredet, weil keiner mehr die Texte liest. Sieht man vom Training ab, das alle Dichtung braucht, wüßte ich keines von Rilkes wichtigen Gedichten, das schwer verständlich wäre. Wenig zugängliche Stücke — so die ersten beiden Duineser Elegien, in denen die Engel-Metapher erst entschlüsselt werden muß und der dreitaktige Vers noch unsicher gehandhabt ist — gehören nicht zum Besten, das Dunkle ist vage statt wie bei Hölderlin präzis.

Eine andere gegen Rilke verbreitete Meinung sagt, er dichte süßlich und sei ein manieristischer Kunstgewerbler. Tatsächlich trifft das zu auf die Jugendgedichte, vieles im Stundenbuch und weniges in den Neuen Gedichten und den Sonetten an Orpheus. Indes ist, daß er auch Minderes gemacht hat, kein Einwand gegen einen Dichter, sofern von ihm Bedeutendes vorliegt; anders müßte man auch Goethe, der öfter, nicht nur in Geburtstagsgedichten, stehen ließ, was ihm eben einkam, oberflächlich nennen. Wem schon gelingen mehr als dreißig wirklich große Gedichte? Schon zehn sind viel.

Vielmehr läßt sich an Rilke exemplarisch studieren, wie einer eine Technik der Versbehandlung vor- und ausbildet, bevor er den dafür würdigen Gegenstand gefunden hat. Merkmale dieser Technik sind die als Verfahren genutzte Musikalität natürlicher, manchmal nur durch Reim und Alliteration verfremdeter Rede (der Vers als gleichmäßig fließende rhythmische Reihe, kaum rhythmische Arbeit *im* Vers), und die Verwendung umgangssprachlicher Wörter in verschütteten, aus der Sprache geholten Nebenbedeutungen. Auch in schwächeren Gedichten ergibt das immer wieder Verse höchster Einprägsamkeit; wenn sich bei Rilke sonst nichts lernen ließe, so zumindest, Zeilen zu schreiben, die sich merken lassen. Brechts Sonettschlüsse zeigen das Studium Rilkes. Wenngleich so der Gegenstand der Gedichte im Stundenbuch — Gott — durchaus unbedeutend ist, finden sich schon dort erstaunliche Stellen; im Nachhinein möchte man annehmen, daß für Rilke Gott Ersatz war für noch nicht erfahrene Welt. Immerhin stellt der Dichter, um seinen Gegenstand handhabbar zu machen, allerhand an: er läßt Gott heulen, fluchen, Lepra haben, auf russischen Öfen schlafen, sich fürchten und derart gleichsam Welt ins Gedicht schaufeln, das Surrogat wird Hilfskonstruktion. Verse wie »Denn auch die Engel fliegen nicht mehr. / Schweren Vögeln gleichen die Seraphim, / welche um ihn sitzen und sinnen; / Trümmern von Vögeln, Pinguinen / gleichen sie, wenn sie verkümmern« erweisen den Lernprozeß.

Drittens beschuldigt man Rilke sozialer und ethischer Rückschrittlichkeit. Er habe die Armut glorifiziert (»Denn Armut ist ein großer Glanz aus Innen«, was meistens außerhalb des Kontexts zitiert wird) und, indem er den Tod pries, Ergebung gepredigt. Beide Argumente sind unernst. Natürlich kann man, wenn man Lust hat, Rilke vorwerfen, daß er kein Marxist war; das ist nicht sinnvoller, als Goethe anzulasten, daß er nicht das Dichten aufgab und Jakobiner wurde. (Was Marx und Engels von den Jakobinern dachten, steht in jeder Werkausgabe.) Grundsätzlich gilt hier, daß, wie Mandelstam bemerkt, eine Nation mit ihren Dichtern geschlagen ist und mit ihnen gefälligst auszukommen hat: Dichter formulieren auf anders nicht sagbare Weise gesellschaftlich wichtige Erfahrung, den Schaden hat, wer sie wegwirft. Übrigens kam Brecht zum Marxismus Ende der zwanziger Jahre, Rilke starb 1926. Ferner vergessen die Vorwürfe den sukzessiven Weltgewinn beim Übergang zu den Neuen Gedichten und in deren Folge, speziell Rilkes Gedichte über die Schwerkraft, das Geld- und Bankwesen und die kapitalistischen Städte (»Und ihre Menschen dienen in Kulturen / und fallen tief aus Gleichgewicht und Maß, / und nennen Fortschritt ihre Schneckenspuren / und fahren rascher, wo sie langsam fuhren, / und fühlen sich und funkeln wie die Huren / und lärmen lauter mit Metall und Glas«): 1903!, man lese das darauf folgende Gedicht über die Armen. Was den Tod betrifft: gegen den Text »Der Tod ist groß. / Wir sind die Seinen / lachenden Munds. / Wenn wir uns mitten im Leben meinen, / wagt er zu weinen / mitten in uns« wüßte ich poetisch oder philosophisch nichts vorzubringen. Den Tod nicht zu reflektieren, ist jedenfalls kein Zeichen von Realismus. »Ein Tod von guter Arbeit« (Kalckreuth-Requiem) steht für erfülltes tätiges Leben. Und sich über die Schlußzeile aus dem Requiem für Kalckreuth lustig zu machen, ist faul. »Wer spricht von Siegen. Überstehn ist alles.« meint im Kontext nicht »irgendwie überleben«, sondern standhaft das Seine tun auch angesichts möglicher oder sicherer Vergeblichkeit. Rilkes Deutung, die den Tod als Teil des Lebens annimmt, scheint hier tiefer und genauer als Camus' Sisyphos-Lesart, der sie im übrigen so fern nicht steht.

Daß Rilke mit seinen schwächeren Werken in der Nostalgie-Welle vermarktet wird, ist zu befürchten. Nötig wäre eine knapp kommentierte Auswahl der bedeutenden realistischen Gedichte, die den Reifeprozeß sichtbar hielte und Rilke aus den Insel-Ausgaben wieder unter

die Jugend brächte. Zu dieser Auswahl würde, bin ich sicher, das
XXIV. aus dem Ersten Teil der Sonette an Orpheus gehören:

Sollen wir unsere uralte Freundschaft, die großen
niemals werbenden Götter, weil sie der harte
Stahl, den wir streng erzogen, nicht kennt, verstoßen
oder sie plötzlich suchen auf einer Karte?

Diese gewaltigen Freunde, die uns die Toten
nehmen, rühren nirgends an unsere Räder.
Unsere Gastmähler haben wir weit, unsere Bäder
fortgerückt, und ihre uns lang schon zu langsamen Boten

überholen wir immer. Einsamer nun aufeinander
ganz angewiesen, ohne einander zu kennen,
führen wir nicht mehr die Pfade als schöne Mäander,

sondern als Grade. Nur noch in Dampfkesseln brennen
die einstigen Feuer und heben die Hämmer, die immer
größern. Wir aber nehmen an Kraft ab, wie Schwimmer.

Hugo Dittberner
Flucht in die Form

Ernst Toller berichtet in seinem autobiographischen Buch »Eine Jugend in Deutschland« von einer Begegnung mit Rilke: in einem mehrstöckigen Mietshaus traf er ihn vor einer Wohnung, einen freundlich-melancholischen Herrn mit blassem Gesicht und grauen Augen, der einen Strauß Rosen in der Hand hielt.

Dieses Bild von dem Besucher im Treppenhaus hat mich zuerst neugierig gemacht auf Rilke. Damals war ich schon 22 und hatte natürlich in der Schule »Herr es ist Zeit der Sommer war sehr groß« auswendig gelernt und andere lesebuchreife Gedichte von Rilke gelesen, aber immer mehr in der Weise, wie man früher in der Schule Gedichte lesen lernte: als etwas Höheres, was mit dem Alltagsleben nichts zu tun hatte, wozu man sich in Stimmung bringen mußte. Andachten wirkten ebenso auf mich.

Trotz meiner so geweckten Neugier brauchte ich einen weiteren äußeren Anlaß zwei Jahre später, um mein in der Schule, in Antiquariaten und Intellektuellengesprächen erworbenes Urteil über den Dichter Rilke zu überprüfen. Gerade die Klassifizierung als Dichter stand

85

einer nachdrücklichen Lektüre von Rilkes Werken im Wege. Denn in diesem »Dichter« schien mir damals der höchste Anspruch auf eine Aura verborgen zu sein — und eine Aura durfte es für eine bei Benjamin gelernte Rigorosität an einem modernen Kunstwerk im technischen Zeitalter nicht geben. Der, eher unterschwellige, Vorbehalt war allgemein: »Dichter« war in den späteren Sechziger Jahren ein ironischer Tadel, oft ein Schimpfwort fast; Hesse, vor seiner amerikanischen Wiederentdeckung und noch ein bißchen länger, wurde so über die Schulter tituliert; und eben Rilke: einer, der laufend in seinen Gedichten »Engel« sagte, »Stern«, »Rosen«, der, wie man inzwischen gierig bei Brecht nachlesen konnte, ein schwules Verhältnis zu Gott gehabt habe.

Ich sollte, als Hilfsassistent, die Farben und die Farbmetaphorik in den Gedichten von Georg Trakl, Hugo von Hofmannsthal, Stefan George und Rainer Maria Rilke nachweisen. Es war eine ermüdende, aber auch lehrreiche Arbeit. In jenen Tagen schmolz der Rest einer frühen Trakl-Bewunderung dahin: je länger ich diese kleinen Gedichte mit ihrem Purpur, Silber und Gold (kein Gedicht ohne Farbe!) lesen mußte, desto unerträglicher wurden sie mir, eng und erhitzt, wie ich sie empfand. Hofmannsthal in seiner müden Eleganz, in seinen schwerblütigen und doch auch frivolen Versen voller Erkenntnisse und Genüsse erfüllte mich mit sterbensmüder Gleichgültigkeit. George, seine Lieblingsfarbe war weiß, erschien mir leer und öde, ein Artist, der sich fortwährend majestätisch in seiner riesigen Manege vor dem Publikum verneigt, um es zum Applaus zu zwingen. Und Rilke?

Ich begann mit den frühen Gedichten und registrierte einen süßlichen Ton darin — »Salussche Locken« nannte man es im letzten Jahrzehnt des vorigen Jahrhunderts nach den Versen des dichtenden Prager Zeitgenossen Hugo Salus —; ich registrierte den aristokratischen Gestus dieser Poesie, das sich von oben den Gegenständen Zuneigen, die Vorliebe für Erlesenes. Doch ich erfuhr auch eine starke und variable rhythmische Kraft, die während der Lektüre weitertrieb, und vor allem eine zunehmende formale Strenge und Disziplin, nicht wie bei George, wo mir diese Disziplin immer zunächst hochmütig Könnerschaft vorzeigen zu wollen schien, sondern eine im Dienste der Klarheit und im Bemühen um Wahrheit und um Beständigkeit. Es gab Verse und Formulierungen, die mich, ich kann es nicht anders sagen, rührten: in ihrer Mischung aus Wissen und Hilflosigkeit, aus Durchschauen und Verschämtheit; das Insistieren auf der ursprünglichen Kraft des Geschlechts und zugleich auf der diese Ursprünglichkeit überwindenden Sehnsucht: von Stern zu Stern. Und ich wurde gespannt zu erkennen, was das Zentrum, welches *die* Wahrheit dieses Dichters sei. Ich habe es trotz aller philosophischer Gehalte in diesem Werk, die mich eher befremdet haben, nicht herausbekommen.

Das Ergebnis der Farberhebung bei Rilke weiß ich nicht mehr; das wichtigere Ergebnis für mich war, daß seine Gedichte mehr als die der drei anderen Dichter bei mir (und das ist gewiß ein subjektives Urteil) einer solchen Wissenschaft vorbereitenden Tortur standgehalten hatten. Über vielen Gedichten Rilkes steht unsichtbar: Nicht anfassen! Aristokratisch! Und vielleicht deshalb erschienen mir seine Gedichte, aber auch die prägnanten Sätze seiner Prosa in all ihrer formalen Strenge als eine Flucht in die Form. Die dichterische Form als Schutz: dies ist mir bei meinen späteren Rilkelektüren immer wieder eingefallen, sei es zu Fragen des Malte Laurids Brigge, ob es möglich sei, daß das Leben trotz aller Religion und Philosophie an der Oberfläche bleibe, sei es zu seinem Bekenntnis, er fühle sich wie ein leeres Blatt Papier; sei es auch zu der berühmten fünften Duineser Elegie, wo an der Grenze der Sagbarkeit geklagt wird über das Fehlen eines Orts, an dem Menschen zusammenbleiben können.

Schutz wovor?

Rilkes Grabspruch, von ihm selbst geschrieben, lautet:

»Rose, oh reiner Widerspruch, Lust,
Niemandes Schlaf zu sein unter soviel
Lidern.«

Ich will den Spruch in all seinen vertrackten Bedeutungs- und Verweisungsnuancen nicht entschlüsseln, aber er scheint mir auch eine Antwort auf die Frage zu enthalten. Die Geste des Verweigerns gibt diese Antwort: für niemanden Ruhe, Erfüllung, Traum zu sein, eine Insel der Verheißung zu bleiben, nicht einzutreten in den banalen Kreislauf von Versprechen und Erfüllung, sondern draußen zu bleiben, für sich, in lebenslanger Spannung zum (alltäglichen) Prozeß des Lebens — das lese ich in diesem Spruch. Es ist die Antwort auf die Bedrohung der eigenen außergewöhnlichen Existenz, die Verheißung sein kann, durch eine eintönige und gleichgültige Umwelt. Rilke besteht, wie die anderen Dichter der poésie pure, auf der Gefährlichkeit der Schönheit, welche gefährlich wird, weil sie dauerhaft in den nützlichen Prozessen der Gesellschaft keinen Platz habe. Und er genießt sie, weil er in ihrem Dienst sein Selbstwertgefühl bestätigt findet.

Auch wer eingesehen hat, daß es nicht jedermanns Sache ist, in seinen Gedichten mit der Faust auf den Tisch zu schlagen oder Rathaustüren einzutreten, wird das Fragwürdige dieser Position bemerken. Dabei denke ich nicht in erster Linie an den aristokratischen Gestus der Gedichte, der vielen heute schon allein deshalb unerträglich ist, weil sie nichts dulden wollen, was ihr (intellektuelles) Vermögen übersteigt. Das Aristokratische ist eher eine Folge als die Bedingung der Vereinzelung, die diesen Gedichten als Position zugrundeliegt. Jedes Exklusive, auch das des Leidens, trägt einen inhumanen, traurigen Zug. Und dieser Zug scheint mir in dem Grabspruch zu triumphieren: daß dort jemand zu uns, die wir ihn doch lesen und lesen sollen, sagt, wie wenig wir mit ihm gemein haben.

Ich glaube nicht, daß jemand eine solche einsame Position wählt. Das zu behaupten, ist eine nachträgliche Stilisierung, die das eigene Leben und Sterben erträglich machen soll. Die gesellschaftlichen Bedingungen: die zunehmend bedrohliche Allianz von Bürokratie und Technik in den europäischen Gesellschaften seit Mitte des 19. Jahrhunderts, ihre autokratischen und starren Gemeinschaftsformen, besonders im wilhelminischen Deutschland, die die Vereinzelung der Künstler (und anderer Intellektueller), ihre Loslösung von der Gesellschaft begünstigt haben, werden heute bewußt gemacht — ebenso wie die Tatsache, daß die Priester- und Seherrolle nicht die einzige Alternative zu solch einer geschlossenen Gesellschaft ist.

Rilke hat eines dieser modernen, suchenden Werke hinterlassen, denen man bequem allerhand anlasten kann: vor allem Gesinnungen. Über ihn hämisch urteilen kann jemand, der einen forschen ideologischen Standpunkt vorgeben will, und wer nie erfahren hat, was es heißt, ruhelos zu sein und ohne einen Ort, an dem man dauerhaft in einer Gemeinschaft bleiben könnte.

Karl Krolow
»Die Zeit der anderen Auslegung wird anbrechen«

Rainer Maria Rilkes produktives Zögern

Aus Anlaß des vierzigsten Todestages von Rainer Maria Rilke, also zum 29. Dezember 1966, wurden seinerzeit von einer großen deutschen Zeitung eine Reihe zeitgenössischer Lyriker nach der Bedeutung und Wirkung des Werks dieses Schriftstellers befragt. Die Antworten fielen unterschiedlich genug aus, allein, man war sich doch in manchem einig, etwa in der Tatsache, daß von diesem Werk nur noch indirekte Wirkungen ausgingen, daß die Zeit der Begeisterung und der enervierenden Nachahmung vorüber sei, vorüber die Zeit (unter dem Nationalsozialismus), in der dieser wichtige und für nicht wenige wichtigste deutschschreibende Lyriker des Jahrhunderts eine Zuflucht in den politisch-militärischen Schrecken der Jahre zwischen 1933 und 1945 bedeutet hatte. Man zollte Respekt, aber man distanzierte sich zugleich. Man bewunderte eine Wortkunst, die man ebenso bereit war, in ihren Grenzen zu erkennen. Bei Marie Luise Kaschnitz war die Beziehung zu Rilke auf die charakteristische Formel gebracht: »Rilkes Werk wird untergehen, wieder auftauchen, wieder untergehen, wieder auftauchen, wie das für alle großen Dichter gilt.« Der kritische Wilhelm Lehmann bemängelte, daß Rilke die sinnlichen

Phänomene nicht ganz ernst nehme und sie mit Vorbehalt ansähe, »eben daraufhin, ob von ihnen ein ›Weg nach innen‹ führe«. Und er fügte hinzu: »So meinte er, die Feige trage Früchte, ohne vorher blühen zu müssen — und sie wurde ihm gleich zu einem Denkbild. Sein Werk ist voll von Gedankenhaftigkeit, meist siecht Lyrik an ihr dahin ... Für Rilke war die Materie nicht ein inspiriertes Phänomen. Sie war ihm Hinderung, die Erde sollte unsichtbar werden. Er erfand ein System von Beziehungen der Dinge untereinander: immer steuert er auf ein Innen zu«. Lehmann sprach mit solchen Sätzen nichts als die eigene Position aus, die er in der Entwicklung des Gedichts bei uns inne hatte: er war folgerichtig einseitig in der Beurteilung eines Werkes, das eher zu vielseitig ist und schnell unübersehbar in solcher Vielseitigkeit und in seiner Gegensätzlichkeit irritabel. Man kann sich Rilke nicht einseitig nähern, nicht in der Art Lehmanns oder wie es damals — und zuvor und danach — andere besorgten.

Es ist leicht, ihn — wie es Lehmann tat — einen »Berufsmelancholiker« zu schelten. Man hat Rilke — bis ins Physiognomische hinein, bis zur äußeren Erscheinung — gern und eifrig übelgewollt, auch wenn man ihm einiges zugestand. Wir erinnern uns, wie sich vier Jahre nach Kriegsende Gottfried Benn dazu geäußert hat in einem Augenblick, in dem er selber dabei war, seine stürmische Rückkehr in eine Literatur zu vollziehen, die ihn vergessen hatte. Benn sprach es 1949 wie folgt aus: »Diese dürftige Gestalt und Born großer Lyrik, verschieden an Weißblütigkeit, gebettet zwischen die bronzenen Hügel des Rhonetals unter eine Erde, über die französische Laute wehn, schrieb den Vers, den meine Generation nie vergessen wird: ›Wer spricht von Siegen — Überstehn ist alles‹«. Inzwischen hat man auch solche Bemerkungen überstanden, die eher Mangel an Geschmack als an Kenntnis verraten. Und die literarischen (und menschlichen) Porträts, die man von ihm zu geben versuchte, waren schon früh bis zur Wut verzerrt gewesen und jedenfalls oft genug verfälscht. Wer meinte, in ihm »das hysterische Frauenzimmer Maria Rilke« sehen zu müssen, der war doch nichts anderes als einer, der sich in diesem Moment unter die literarischen Gossenjungen begab.

André Gide hat es 1941 ausgesprochen: »Ich kenne kein Portrait von ihm, das ihn nicht verfälschte. Das ist, weil die Züge seines Gesichts, der ganze Stoff seines Seins von einer Geistigkeit durchdrungen schienen, die kein Pinsel wiederzugeben vermöchte. Man hatte den Eindruck, er wäre in seinem Körper niemals ganz zugegen. Man spürte vor allem, daß er anderwärts weilte, in einem geheimnisvollen Bereich, der für ihn wirklicher war als das, was wir Wirklichkeit nennen. Und nur in diesem Bereich konnte man ihm wahrhaft begegnen. — Dann wurde seine Freundschaft köstlich. Eine Art Scham hielt sein Gespräch im Zaum, und in der Andeutung mußte man ihn verstehen. Auch er verstand in der Andeutung. Es scheint so, daß alles, was über ihn gesagt wird, um ihn zu bestimmen, ein wenig falsch ist und vergröbernd, wie das, was man über Ariel sagen würde«. So einleuchtend solche Äußerungen sind, vor allem in den letzten Sätzen, so sehr zeigen sie doch eine bestimmte Beschäftigung an, der Rilke sich ständig ausgesetzt sah: die mißbilligende und herabwürdigende Beschäftigung mit seiner Person, seiner Erscheinung. Rilke wird zum Objekt einer Mystifikation, einer Spiritualisierung, die schnell solche Erscheinung, diese Person, diesen Menschen und Schriftsteller Rilke in Auflösung bringt oder doch jedenfalls das Erscheinungs- wie das literarische Bild — leise oder deutlich — verzerrt. — Katharina Kippenberg, die Frau von Rilkes Verleger, hat knapp zehn Jahre nach Rilkes Tod dessen Erscheinung ruhiger und gerechter gesehen: »Rilke war nicht groß, sehr feingliedrig, mit einem schmal in die Höhe gehenden Kopf. Sein dunkelbraunes Haar stand hoch darüber und war wellig. Das Auge sah ihn nun zum erstenmal und war erstaunt, daß man es nicht so sehr als den Mittelpunkt des Gesichtes empfinden konnte. Es war groß, von einem mittelhellen Blau, wie Kinderaugen manchmal sind, und es schien als ein Vorhang zu dienen, um Verborgenes zu schirmen. Den Mund umgaben senkrecht fallende spärliche blonde Haare, scherzend hat man von einem Chinesenbart gesprochen. Die Nase war außerordentlich geistreich, und den Nasenflügeln traute man eine so feine Witterung zu, wie ein edler Jagdhund sie besitzt. Sehr bald fiel auf, wie er mit Farbe und

Aussehen wechselte, innerhalb kurzer Zeit konnte er die verschiedensten Gesichter haben.« Diese — durchaus verehrungsvolle wie diskrete — Schilderung kommt einer Objektivation des Physiognomischen bei Rilke immerhin nahe. Übrigens fallen mir bei dieser Schilderung die herberen, kühler gesehenen Bemerkungen Wilhelm Lehmanns ein, die bestimmten sprachlichen Wendungen Rilkes galten, aber über diese hinausgehend ins Physiognomische geraten: »Es ist, als ob ein von Natur blasses Gesicht erröte«.

Es fällt schwer, in diesem Zusammenhang nicht das »Selbstbildnis aus dem Jahre 1906« zu zitieren. Es gibt dieses Physiognomische — so stilisiert es erscheint — doch ebenso gut wieder wie es die physiognomische Seite in andere Bereiche transportiert:

Des alten lange adligen Geschlechtes
Feststehendes im Augenbogenbau,
Im Blicke noch der Kindheit Angst und Blau
und Demut da und dort, nicht eines Knechtes,
doch eines Dienenden und einer Frau.
Der Mund als Mund gemacht, groß und genau,
nicht überredend, aber ein Gerechtes
Aussagendes. Die Stirne ohne Schlechtes
und gern im Schatten stiller Niederschau.

Das, als Zusammenhang, erst nur geahnt,
noch nie im Leiden oder im Gelingen
zusammgefaßt zu dauerndem Durchdringen,
doch so, als wäre mit zerstreuten Dingen
von fern ein Ernstes, Wirkliches geplant.

Rilke war — als er diesen Text schrieb — einunddreißig Jahre alt. Die Stilisierung auf die adlige Herkunft ist uninteressant in Hinblick auf das, was folgt: Selbstbeschreibung als Erkundung des Äußeren zum Zwecke eines Vordringens in Richtung der hauptsächlichen und jedenfalls entscheidenden Herkunft: der Herkunft der Rilkeschen Sensitivität, also des Hauptvermögens, das das Lebenswerk zustande kommen ließ. Auf der Suche nach der eigenen Sensitivität sind die vierzehn Zeilen des Gedichtes begriffen, von denen die fünf letzten die entscheidenden sind. Was zur Sprache kommt, sind die Ahnungen von »Zusammenhang«, von Genealogie des Sensiblen, des Intelligiblen wie des Sinnlichen. Man hat so etwas wie einen Entwurf von dem allem vor sich, Entwurf einer Rilkeschen sensitiven Existenz, die als Existenz noch am Anfang einer Entwicklung vermutet wird: »noch nie im Leiden oder im Gelingen zusammgefaßt«. Die Art wie diese Selbstdarstellung vorgenommen und durchgeführt wird, ist charakteristisch: zugleich voller Zaghaftigkeit, einer deutlichen Unsicherheit, aber ebenso mit der sicheren Witterung von »Möglichkeiten«: »doch so, als wäre mit zerstreuten Dingen von fern ein Ernstes, Wirkliches gemeint«.

Die Vorsicht, die Behutsamkeit, auch die reservatio mentalis, mit der hier Selbstbeschreibung entwickelt wird, ist Ausdruck dieser eminenten Witterungs- und Fühlungs-Fähigkeit im Wesen Rainer Maria Rilkes, die ihm wohl zu jeder Zeit zur Verfügung stand, die er aber gleichzeitig nur zum Teil zugestand und eingestand, was eine gewisse Affektation entstehen ließ, die bei Rilke so schnell, so zuweilen ärgerlich schnell hinzukommt. Das Selbstporträt des Einunddreißigjährigen ist — s o verstanden — ein notwendig vager, unbestimmter und schließlich nicht wenig affektierter Entwurf von Entwicklung, von persönlicher, sensibler Zukunft, die sich zunächst auf diese außerordentliche Disposition für Sensitivität bezieht, die indessen bloße »Sensiblerie« nicht ausschließt, sie eher einbezieht, weil sie sie — in gewissem Sinne — benötigt.

Die Stärke Rilkes bekundet sich so, daß sie Schwäche einbezieht. Literarisches Gelingen zeigt zugleich Mißlingen, mögliche Unfähigkeit auf eine riskante Weise an. Rilke, der so viele Gedichte geschrieben hat, hat unbewußt, später freilich bewußt genug, dieses Risiko einbezogen. Die »Weichheit« des Porträts, das hier gegeben wird, eröffnet zugleich risikoreiche »Offenheit« einer Entwicklung. Die nächsten zwanzig Jahre haben solcher Offenheit zum Erfolg, zum Ruhm und jedenfalls zu einem Gelingen verholfen, das keineswegs im Jahre

1906 einsehbar war. Rilkes »Anlauf« zum literarischen Niveau benötigte weit mehr Zeit als Hofmannsthal und George dies benötigten. Der junge, noch nicht zwanzigjährige Hugo von Hofmannsthal erreichte mit den frühen Gedichten nicht mehr literarisch Steigerungsfähiges im Gedicht, während Rilke fast dilettantisch und auf alle Fälle mühsamer sich zu artikulieren bemühte, mit Übernahmen und Anklängen von diesem und jenem im durchschnittlichen Zeitgeschmack, der eine so wenig ausschloß wie Liliencron oder Cäsar Flaischlen. Dies ist bekannt. Aber ebenso ist bekannt, was Beda Allemann untersucht und ausgesprochen hat, wenn er von der Früh-Situation Rilkes in Prag als von einem »abgestandenen literarischen Treibhausklima« spricht und dabei feststellt, daß Rilke auf dieses Klima — wie auf jeweilige Umwelt überhaupt — übersensibel reagiert habe. Deutlicher kann es nicht analysiert werden: »Die Schwächen des Frühwerks sind keineswegs in einem Mangel an Begabung begründet. Als Lyriker verfügt Rilke von Anfang an über eine beträchtliche Virtuosität. Die Technik des ungewöhnlichen und erlesenen Reimes etwa oder die kunstvollen Enjambements hat er schon bald völlig im Griff ... Die Schwächen ergeben sich vielmehr aus der Unbedenklichkeit, mit der Rilke seine enorme Begabung spielen ließ«. In Verbindung mit derartigen Überlegungen wird von einer »ondulatorischen Grundstimmung« die Rede sein können.

Rainer Maria Rilke war zweifellos von einer phänomenalen Wandlungsfähigkeit, dank seiner sensitiven Disposition. Die Zeile aus den späten »Sonetten an Orpheus« ist darum von höchster Verbindlichkeit für das Lebenswerk dieses Schriftstellers: »Geh in der Verwandlung aus und ein«. Seine Sensitivität läßt ihn bis zum heutigen Tage — in ihrer geradezu chamäleonischen Wandlungsgeschwindigkeit — zu einem Rätsel großartiger Widersprüchlichkeit werden, hinter der sich doch sensibelste Folgerichtigkeit abzeichnet. Auf diese — offene, gelegentlich zu offene — Weise hat sich Rilke der Zeitgenossenschaft wie der Nachwelt dargelegt: großartig deshalb, weil sie so viele Risiken und Schwächen nicht nur in Kauf nahm, sondern mit ihnen arbeitete, gelegentlich hantierte, balancierte und aus ihnen danach jenen merkwürdigen Gewinn zog, der beispielsweise das Spätwerk zu Tage brachte und noch in den zerstreutesten Gedichttexten die »Planung« des »Ernsten« und »Wirklichen« realisiert, von der im frühen, zärtlich genauen Selbstporträt nahezu spielerisch Andeutungen gegeben sind.

Rilkes Entwicklung — für uns seit langem in allen Einzelheiten beobachtbar geworden und zeitweise einer Sintflut von Kommentaren ausgeliefert, so daß Hans Egon Holthusen noch vor Jahren von »Rilke und kein Ende« schreiben konnte — ist im Jahre seines hundertsten Geburtstages in aller Ruhe anzusehen. Die Spannung ist wie die Neugier längst gewichen. Man hat zuviel über diesen Schriftsteller mitbekommen. Das hat ihm zeitweise geschadet. Das halbe Jahrhundert seit seinem Tode hat manche unter uns mehrfach Meinungen, ihn betreffend, revidieren lassen. Rilke trat jedesmal dann in den Hintergrund, wenn in der Literatur bei uns das vorherrschend wurde, was Peter Demetz den »Mangel an Nuance« genannt hat. Denn Rilke ist ein Autor, der Nuancen abverlangte und immer noch abverlangt. Auch mit Sinn für Nuance blieb Rilke schwierig und mißverständlich genug. Man konnte ihn für Verschiedenes benutzen, was mit ihm nicht ohne weiteres in Verbindung zu bringen war, was ihm vielmehr unterstellt wurde. Allerdings hat Rilkes Vieldeutigkeit Unterstellungen zuweilen leicht gemacht, und auch andere bedeutende Autoren — Brecht gewiß nicht ausgenommen — sind für allerhand wechselnde Zwecke hergenommen worden.

Rilke war aufregend unter dem Nationalsozialismus. Er war der Gegentypus zum damals gefragten Autor, zum Staatsfreund, wie ihn der Nationalsozialismus verstand: bodenständig, rassebewußt, von anderem zu schweigen. »Der Rilke-Kult der bürgerlichen Jugend von 1940 war ein instinktiv verzweifelter Versuch, rein und unberührt zu bleiben«, sagte Demetz. Und er fügt hinzu: »Diese Art des ambivalenten Eskapismus ist ja wiederholbarer Art: die einen lesen, im Hitler-Staat, Rilke, die andern produzieren, im Staate Ulbrichts, Theaterstücke gegen Furcht und Unbilden des Hitler-Reiches«. Das wurde 1966 veröffentlicht und soll eigentlich nur für eine gewisse Mechanik der Wiederholung sprechen, der Rilke, im Kommen und Gehen, im Wiederkommen und Wiedergehen ausgesetzt war, ganz so wie Marie Luise Kaschnitz den Vorgang im selben Jahr 1966 formuliert hatte.

Man muß es Demetz danken, daß er im selben Aufsatz damals geradezu definitiv — in Hinblick auf Rilke und die Mißverständnisse, die sich um ihn gehäuft hatten — vom Gedicht überhaupt vermerken konnte: »Ein Gedicht ist auch (das vergißt man in Deutschland leider allzu leicht) eine Provokation der Sensibilität: es berührt Auge, Ohr, Fingerkuppe, mehr noch: das Auge des Ohrs, die Ohren des Augs. Es trifft nicht nur die geschichtlich geprägte Intelligenz des Lesenden, sondern zugleich seine Sinnlichkeit, die keine Vergangenheit, keine Zukunft, keine Geschichte hat: — nur das einzige D a der Fingerspitzen und Schleimhäute . . .« In Zeiten der Literatur, die solcher »Sinnlichkeit« nicht sehr günstig gesinnt waren oder sind — und die »völkischen« Zeiten der Nazis waren gewiß von dieser Art —, in Zeiten, in denen der Sinn für jene Nuance verloren ging, war (und ist) es mit Schriftstellern wie Rilke heikel. Wie weit man ihn als einen »Magus (und gelegentlich als Taschenspieler) der Sensibilität« anpreisen kann, wie das Demetz schließlich besorgt (und ihm dabei freundlich »mehr Zukunft als Vergangenheit« bescheinigt), steht auf einem anderen Blatt. Die Anpreisung, weil sie sich sehr stark macht, entspricht nicht dem, was uns Rilke hinterlassen hat: gewiß verschiedenartig Problematisches, aber doch wohl derart Diffiziles — eben ein Nuancen-Bündel —, daß er sich nicht einfach »proklamieren« läßt.

»Die Zeit der anderen Auslegung wird anbrechen, und es wird kein Wort auf dem anderen bleiben ... Aber diesmal werde ich geschrieben werden. Ich bin der Eindruck, der sich verwandeln wird«. Das ist im »Malte Laurids Brigge« nachzulesen. In solcher Aufzeichnung wird mit der Verwandelbarkeit als einer Notwendigkeit und literarischer Unabdingbarkeit gerechnet, mit dem, was Rilke innerhalb der Literaturgeschichte seither geradezu panoramatisch gemacht hat, zu einem persönlichen Panorama des Fließenden, Sich Wandelnden, unablässig in der Verwandlung auf uns Zukommenden, uns einmal so, einmal anders Irritierenden oder Überraschenden, bis Irritation und Überraschung in Gewohnheit und in anschließende Ermüdung übergehen. Wir sind dieses Phänomen — der Gewohnheit und der Ermüdung — inzwischen längst gewohnt. Und die ganz jungen Rilkeleser dieser Jahre kümmert das alles ohnehin nicht, wie sie die Interpretationen und Gewohnheiten des Umgangs mit Rilke-Texten bei ihren Vätern oder Großvätern wenig kümmert. Sie kümmern sich — wie man weiß — heute nicht um die Verdikte, denen das Frühwerk beständig ausgesetzt blieb. Sie lesen Rilke z u m e r s t e n m a l. Und es gehört zum Überleben Rilkes, daß man ihn offenbar ganz unbelastet und tatsächlich wie zum erstenmal lesen kann, sich — und dies ist das Entscheidende — von ihm sensibilisieren lassen kann, nicht lediglich passivisieren, wie vielleicht um 1940 oder lethargisieren wie von einigem, das Hermann Hesse bei ihren etwas älteren Brüdern so lesens- und begehrenswert, so konsum-notwendig werden ließ. Es ist die Aufmerksamkeit, die Rilke dem Leser im Sensibilisierungsprozeß abverlangt: es sind die offenen, nicht die geschlossenen Augen, die zur Aufmerksamkeit taugen. Daß die frühen Arbeiten Rilkes dieser Aufmerksamkeit wert scheinen, gehört zu den Überraschungen, die Rainer Maria Rilke auch heute noch zu bieten hat, nachdem man sich längst darüber geeinigt hatte, was an diesem Autor ein für allemal »unmöglich« bleiben mußte: Böhmischen Volkes Weise und der Cornet und Mir zu Feier, das ganze jugendstilfeiernde Klimbimmäßige. Doch der zarte Klimbim, einschließlich seiner Gebetsrollen, mit dem Engel als Gegenüber, als Gesprächs- und Anredepartner in wechselnder aber durchweg lästiger, weil penetranter Gestalt, war widerstandsfähiger und revidierbarer als angenommen. Wer nicht rezipieren muß, was die verdienstvolle Rilke-Philologie und die noch verdienstvollere Rilke-Edition durch Ernst Zinn seither über lange Zeit geleistet haben, kann es sich leisten, an Rilke unbefangen heranzugehen wie junge Leser des Jahres 1975, die lieber zum »Stundenbuch« greifen als zu den »Späten Gedichten«, denen der

»Nachbar Gott« offenbar *mehr* sagt als ein Ausgesetztsein auf den Bergen des Herzens.

Wir Älteren haben — bei unserem wechselnden Verhältnis zu Rainer Maria Rilke — zuviel Bescheidwissen zu bewältigen gehabt, und sind mit diesem Wissen noch immer eher belastet als begünstigt. Wir wissen zuviel von Rilke, in Verehrung und aus der Distanz. Seine »Wegwarten«, seine »Lieder, dem Volke geschenkt«, dieses kleine Hintergrunds-Engagement im Sozialen während der Jugend (denn von der durchaus emotional gestimmten, flüchtigen Reaktion auf die Entwicklung im sowjetischen Rußland und zur Zeit der Münchner Räterepublik kann man nicht wohl reden, ohne Finessen anzuwenden), haben für einige sehr junge Leute offenbar einen *anderen* Ton als für unsereins, dem Armut Tod und Lieber Gott als Versatzstücke zur von Allemann beschriebenen »ondulatorischen Grundstimmung« zu passen scheinen. Der Gefühlsaufwand und Gefühlsüberzug, der sich auf alles legt, was Rilke lyrisch hervorbrachte, auf das berühmte Rilkesche »Ding« wie auf seinen nicht minder berühmten, waghalsig gefühlten »Weltinnenraum«, haben uns nicht einen Augenblick lang von einem *anderen,* sozusagen noch unentdeckten Rilke, einem verdeckt jakobinischen gar, überzeugen können. Hinweise dieser Art sind apart, nicht mehr, auch wenn sie sich durch einzelne Äußerungen und Briefstellen belegen lassen. Ich persönlich nehme solche Hinweise mehr als eine Art Jubiläums-Vergnügen für gestandene Rilke-Kenner, denen einiges überständig wurde, wie mir scheint.

Natürlich möchte man einiges endlich einmal anders sehen dürfen. Was dem einen sein Hölderlin ist, könnte anderen ihr Rilke sein. Er ist es nicht geworden, möchte ich meinen. Sein Habitus, seine Konstitution, sein Dauer-Verhalten bürgen hierfür. Was uns weiterhin interessiert an Rilke, ist seine Weise, einen Sprachkonflikt zu bekommen und ihn durchzustehen: Wer spricht von Siegen? Die Krisen sind der Aufmerksamkeit wert, bis heute, und wie es zu ihnen kam, wie sie vorbereitet wurden durch Rilke selber, in jahrelanger Übung, Anstrengung und Überanstrengung. Sein verbales Verstummen für Jahre vollzog sich immerhin diskreter als das laute Verstummen einiger seiner gedichteschreibenden Enkel in den fünfziger, mehr noch in den sechziger Jahren des Jahrhunderts. Uns interessiert weiterhin, »daß die Dinge mit Gefühl penetriert wurden bis zu dem Punkte, wo sie in sich selbst zu kreisen vermochten«, wie Beda Allemann es mustergültig ausdrückt. Wie Rilke mit der überhand nehmenden Sensibilisierung seiner Dichtung fertig wurde, wie seine »Wendungen« aussahen, scheint mir auch jetzt noch nicht unwichtig. Sie können immer noch Modelle für Späteres bilden, Modelle für die ramponierte Sensibilität wesentlich jüngerer Autoren der Jahrhundertmitte und in den Jahren seither, mit ihren ernsten Versuchen, eine neue Subjektivität im Gedichteschreiben aufzufinden und durchzusetzen, wie das zuletzt noch der verunglückte Rolf Dieter Brinkmann mit aller Anstrengung und manchem Gelingen unternahm.

Solcher »Wendungen« zu spotten, ist nicht schwer. Gewissen risikohaften Wendungen im Sprachprozeß, den sich später Paul Celan zwanghaft auferlegte, ihr Risiko zu verdenken, ist nicht meine Absicht. Die »Engführungen« Celans haben gewiß nichts mit Rilkes Wendung nach innen zu tun. Vergleichbar ist ein bestimmter Rigorismus, eine Konsequenz mit bemerkenswertem Gefahren-Charakter. Der Sprachgrat wird schmal. Die Gefahr, daß Sprache zur einzigen Instanz wird, ist auch bei Rilke vorhanden. Daß dieser Engpaß in sehr späten Gedichten Rilkes — französischen Zyklen-Gedichten wie deutschen Texten — sozusagen wieder aufgedröselt wurde und der »Entflechtungs«prozeß bereits in den »Sonetten an Orpheus« erkennbar wird, ist nachweisbar. Rilkes Wandlungsfähigkeit — anders geartet als die geisterhaftere Sensitivität Celans — hielt sich für solche Wendungen bis zuletzt offen. Wir haben inzwischen an Erfahrungen hinzu gewonnen, daß der »Verbrauch«, den autonom gewordene, vom Autor in vollkommene Freiheit gesetzte Sprache an diesem vornimmt, für manchen Gedichteschreiber — zuweilen auf oft recht modisch-äußerliche Weise — verheerende Auswirkungen hatte. Der schmale Grat zwischen Ridikülem und tödlich Ernstem ist in einigen Celan-Gedichten evident. Zu schweigen von vielen Gedichten

Rilkes. — Nochmals betone ich: es ist leicht, über Rilkes »Wendung«
an diesem Punkt (und in anderen Gedichten) zu lächeln, weil der
Schaden allzu bekannt ist, den Wendungen bei uns nehmen, wenn sie
so oder ähnlich lauten:

Denn des Anschauns, siehe, ist eine Grenze,
und die geschautere Welt
will in der Liebe gedeihn.
Werk des Gesichts ist getan,
tue nun Herzwerk
an den Bildern in dir, jenen gefangenen. Denn du
überwältigtest sie. Aber nun kennst du sie nicht.
Siehe, innerer Mann, dein inneres Mädchen,
dieses errungene aus
tausend Naturen, dieses
erst nur errungene, nie
noch geliebte Geschöpf.

Daß Wendungen Selbsttäuschung — wie diese — sind, ist angesichts
dessen, was Rilke geschrieben hatte und noch schreiben würde, rasch
nachweisbar. Was interessant ist, ist die literarische Täuschung, die
Illusion im Krisenpunkt, und Blindheit im literarisch einer Krise
zutreibenden Prozeß. Später wird Celans Bewußtseins- und
Reflexionshöhe angemessener sein. Doch daß es im Celanschen
Sprach- und Gedichtentwicklungs-Prozeß täuschungslos zuging, ist
nicht anzunehmen. »Sprache Wo Sprachen/enden« hat Rilke wie nach
ihm Celan, wie lange vor ihm auf das Außergewöhnlichste Hölderlin
aussprechen müssen. Es ist die Sprache, die Rilke noch über dem
»letzten Gehöft von Gefühl« ansiedelt. Wie weit dieser Bereich etwas
mit Celans »Sprachresten«, »Hörresten« zu tun hat, bleibe dahin ge-
stellt. Worum es mir geht, ist die Aufdeckung der immer aktuellen
Problematik im dichterischen Prozeß bei Rilke, auch heute noch und
für uns aktuell, das heißt einsehbar und sogar literarisch umsetzbar.
Das »Schweigen« Rilkes als Krisen-Symptom ist zugleich ein
Schweigen, in dem seine literarische Wandlungsfähigkeit arbeitet, für

ihn arbeitet, in dem sich »Wendungen« vorbereiten, nicht nur jene zitierte aus dem Jahr 1914, von der Allemann meinte, daß sie das eigene »Versagen aus dem Umstand zu erklären« suche, »daß er noch nicht genug ›Herzwerk‹ getan, sondern sich mit dem poetischen Prinzip des ›Anschauns‹ begnügt habe«. Allemann kommt danach auf die »Selbsttäuschung« Rilkes zu sprechen: »Rilke vermag die Alternative nicht zu formulieren, durch die er auf eine neue Position gelangen könnte«. Die Alternative von Anschauen und Herzwerk erscheint dem Kommentator sekundär. — Rilke ist kritischen Phasen — auch der kritischsten, der des langen Schweigens — schließlich jeweils dadurch entronnen, daß er schließlich doch wohl nur dem nachzugeben hatte, was in seinem Wesen von vornherein angelegt war: seiner Fähigkeit zur »Offenheit«, die die enorme Wandlungsfähigkeit oder doch wenigstens seine erhebliche Nuancierungsfähigkeit mit sich brachte. »Entflechtung« — so gesehen — ist der Gewinn solcher poetischen Eigenschaft. Das »weithin Offene« hat in den meisten seiner Gedichte — gleichgültig zu welchem Zeitpunkt — eine Rolle gespielt, eine bedeutendere Rolle jedenfalls für seine Entwicklung als momentane oder zeitweilige Selbsttäuschungen.

Späte Gedichte zeigen die Möglichkeit von Entflechtung, von Entwindung aus dem allzuoft aufgesuchten Inneren, der Rilkeschen penetranten Innerlichkeit, dieser Autonomisierung seines Gefühls: sei es, daß es im einzelnen Gedicht zum Austausch von Innenwelt und Außenwelt kommt, sei es, daß Rilke sich — deutlich genug — wieder der sinnlichen Wahrnehmung innerhalb einer durchaus überwiegend wieder erfaßten Außenwelt zuwendete. Für den Typus eines derartigen »Austausch«-Gedichtes spricht etwa ein Text wie »Handinneres«:

Inneres der Hand. Sohle, die nicht mehr geht
als auf Gefühl. Die sich nach oben hält
und im Spiegel
himmlische Straßen empfängt, die selber
Wandelnden.

Die gelernt hat, auf Wasser zu gehen,
wenn sie schöpft,
die auf den Brunnen geht,
aller Wege Verwandlerin.
Die auftritt in anderen Händen,
die ihresgleichen
zur Landschaft macht:
wandert und ankommt in ihnen,
sie anfüllt mit Ankunft.

Auch hier fällt das bevorzugte Stichwort: Verwandlung. Die Hand, ihr
Inneres, schöpft nicht nur Außenwelt, indem sie Wasser schöpft, auf
Wasser geht, sich also auf das Sinnlichste mit einem Element der
Außenwelt einläßt, sie tritt auch — im wahren Wortsinne — als »aller
Wege Verwandlerin« auf: sie verwandelt durch Da-sein und Tätig-
sein, durch Handlung gleichermaßen Inneres und Äußeres, verbindet
das eine mit dem anderen, führt das eine mit dem anderen auf das
Selbstverständlichste und Empfindlichste zusammen. Das meisterhafte
Gedicht zeigt das ganze Ausmaß Rilkescher Verwandlungs- und —
in diesem Falle — »Austausch« (Entflechtungs)Kunst.

Das Sinnenhafte beim späten Rilke kann wie folgt aussehen:

An der sonngewohnten Straße, in dem
hohlen halben Baumstamm, der seit lange
Trog ward, eine Oberfläche Wasser
in sich leis erneuernd, still ich meinen
Durst: des Wassers Heiterkeit und Herkunft
in mich nehmend durch die Handgelenke.
Trinken schiene mir zu viel, zu deutlich,
aber diese wartende Gebärde
holt mir helles Wasser ins Bewußtsein.

Auch das für Rilke charakteristische Zögern, das Verhalten (»Trinken
schiene mir zu viel, zu deutlich ...«) ist in den zitierten
Gedichtabschnitt aufgenommen: sein Abwarten, in dem so etwas wie
spirituelle Kontrolle (»Bewußtsein« genannt) einsetzt. — Noch deutli-

cher wird die geradezu gelassen anmutende Sinnenhaftigkeit, die sich in der letzten Zeit bei ihm durchsetzt und in den französischen Gedichten mit Sicherheit, aber auch in manchen deutschen Gedichten dominiert wie in dem Gedicht »Wilder Rosenbusch«, das am 1. Juni 1924 in Muzot entstand:

Wie steht er da vor den Verdunkelungen
des Regenabends, jung und rein,
in seinen Ranken schenkend ausgeschwungen
und doch versunken in sein Rose-sein,

die flachen Blüten, da und dort schon offen,
jegliche ungewollt und ungepflegt:
so, von sich selbst unendlich übertroffen
und unbeschreiblich aus sich selbst erregt,

ruft er dem Wanderer, der in abendlicher
Nachdenklichkeit den Weg vorüberkommt:
Oh sieh mich stehn, sieh her, was bin ich sicher
und unbeschützt und habe was mir frommt.

Der Text — zweieinhalb Jahre vor dem Tode entstanden — enthält in sich geradezu eine Aufforderung zum »Anschauen«, wenn auch die sinnenhafte Anschaulichkeit des Gedichtablaufs penetriert erscheint von einer gewissen gedanklichen oder doch reflektierenden Abstraktion. Sie wird in ihrem eigentümlichen Wesen mit dem allzu deutlichen Verweis auf das »Phänomen«, das Rose-sein, gesteigert: reine Sinnlichkeit, wie sie das spätere deutsche Natur- und Landschaftsgedicht seit Oskar Loerke kennt, kommt bei Rilke im Gedicht, im Naturgedicht wie diesem, nicht auf. Die »Oberfläche Wasser«, die im vorangegangenen Zitat auftaucht, nominiert wird, ist nicht einen Augenblick lang bloße Oberfläche im Sinne gewisser Netzhaut-Ereignisse der Naturlyrik ein Vierteljahrhundert nach dem Entstehen dieses Gedichtes. Rilke — in seinem (produktiven) Zögern — mutete sich solche Entschiedenheit nicht zu.

Peter W. Jansen
Rilkes Roman

»Die Aufzeichnungen des Malte Laurids Brigge«: durch Verfrühung
verspätet

> »Daß man erzählte, wirklich erzählte,
> das muß vor meiner Zeit gewesen
> sein«[1].

Die erneuerte (wiederholte und oft wiederholbare) Aktualität Rilkes
ist ein Produkt seiner Versatilität oder, weniger freundlich ausgedrückt,
seiner proteischen Unbeständigkeit. Auch wenn man nicht gleich, wie
einst Peter Demetz, meint, »daß Rilke kaum fünf Jahre lang ein und
derselbe Dichter war«[2], lassen sich aus seinem Werk ohne brachialen
philologischen Scheidungsprozeß drei oder vier oder fünf verschiedene
Gestalten gewinnen, Partner durchaus einander, aber sich wechselnden
Epochen, Generationen, Stimmungen, Valenzen und Urteilen je
wechselnd selbst als Partner anbietend unter schamlosem Bruch ihrer
Gemeinsamkeit. Es gibt kaum ein anderes dichterisches Werk, das so
von der Wurzel bis in die Poren durchtränkt wäre von einer
allgegenwärtigen und immerbereiten Promiskuität, so hingebungsvoll
unverbindlich, daß sich ihm immer wieder frische oder aufgefrischte
Rezipienten als neue oder erneuerte Partner verbinden mögen, von der
»freilassenden Liebe« (Ludwin Langenfeld[3]) gleißnerisch verführt,
wähnend: auch sie blieben freigelassen; denn niemand ist versuche-
rischer als derjenige, der wie Maltes »verlorener Sohn« fortgeht, weil

er »nicht geliebt werden wollte«[4] und dann »der Troubadours (gedachte), die nichts mehr fürchteten, als erhört zu sein«[5].

Die Rezeption Rilkes, gekennzeichnet von Emotionen wie bei keinem anderen Wortartisten des Jahrhunderts, bleibt in ihren Anstößen und Bewegungen wenig erforscht, solange nicht das promiskuitive Angebot dieses Sprachleibs erkannt wird, unter dessen Haut — erst duftend von süßen Parfüms, spät in herben Verfaltungen — die Höhlungen locken: es sind die freien, die leeren Stellen in dem nur scheinbar dichten und festen Geflecht, in die sie sich einlassen, die gefühligen Schwärmer wie die angeblich Sinn suchenden, doch Sinn hineinlegenden Philosophen. Und eines ereignet sich fast überall, das »omne animal triste« bei den Übersättigten und irgendwann Enttäuschten, notwendig Enttäuschten an der Leere. Denn der durchgängige Antropomorphismus der Rilkeschen Sprachgebärde, die Vermenschlichung bis über alle Sinne, die übersteigerte Verschärfung der Sinnesorgane (der »hohe Baum im Ohr«[6] der Sonette an Orpheus) —: das findet Nahrung und Echo fast nur in sich selbst, und ist dennoch, indem es fordert, ruft, preist und rühmt, stets bereiteste und breiteste Einladung, die ohne den Eingeladenen nicht ist. Wenig wird davon sichtbar, wenn die Rezeptionsforschung an Rilke nicht auch etymistisch zu Werke geht, beginnend bei kaum freiwilligen Etyms, wie sie etwa Lou Albert-Lasard aus einem Weihnachtsbrief von 1914 mitliefert (»Ich werde die Nacht im Geiste bei Dir sein, vielleicht zünde ich Dir den Baum noch einmal an, fühl's, er soll bis Drei-Königs-Tag stehen bleiben«[7]), bis zu »verständigten«: »Diese Kessel, die kochend herumgehen, diese Kolben, die auf Gedanken kommen, und die müßigen Trichter, die sich in ein Loch drängen zu ihrem Vergnügen«[8].

Freilich, so einverstanden mit dem Zusammenpassen sind die Dinge nur selten, wie ein Deckel erkennen läßt, den Malte im Zimmer des Nachbarn am Boden scheppern zu hören meint und über den er sich wundert: ». . . so ein Deckel müßte kein anderes Verlangen kennen, als sich auf seiner Büchse zu befinden; dies müßte das Äußerste sein, was er sich vorzustellen vermag; eine nicht zu übertreffende Befriedigung, die Erfüllung aller seiner Wünsche. Es ist ja auch etwas geradezu Ideales, geduldig und sanft und eingedreht auf der kleinen Gegenwulst gleichmäßig aufzuruhen und die eingreifende Kante in sich zu fühlen, elastisch und gerade so scharf, wie man selber am Rande ist, wenn man einzeln daliegt. Ach, aber wie wenige Deckel gibt es, die das noch zu schätzen wissen. Hier zeigt es sich so recht, wie verwirrend der Umgang mit den Menschen auf die Dinge gewirkt hat. Die Menschen nämlich, wenn es angeht, sie ganz vorübergehend mit solchen Deckeln zu vergleichen, sitzen höchst ungern und schlecht auf ihren Beschäftigungen. Teils weil sie nicht auf die richtigen gekommen sind in der Eile, teils weil man sie schief und zornig aufgesetzt hat, teils weil die Ränder, die aufeinander gehören, verbogen sind, jeder auf eine andere Art. Sagen wir es nur ganz aufrichtig: sie denken im Grunde nur daran, sobald es sich irgend tun läßt, hinunterzuspringen, zu rollen und zu blechern«[9].

So überflüssig es jetzt noch sein mag, die Etymsignale klingeln zu lassen, ihnen die Schelle umzuhängen, wie sie den Text durchziehen, so deutlich wird — selbst wenn man jene überhört — die Willfährigkeit dieser Sprache, alles mit sich machen zu lassen, und der Anruf des alles Festgefügte und alle Grenzen schon vermissenden Sprechers an den Leser, teilzuhaben an der promiskuitiven Ubiquität der Wörter und des Sinnes: »die Menschen nämlich, wenn es angeht, sie ganz vorübergehend mit solchen Deckeln zu vergleichen ...« Warum sollte es nicht angehen, auf die Vermenschlichung des Deckels die Verdeckelung des Menschen folgen zu lassen (:wo ist da noch Unterschied)? Und warum nicht gar, in aller Respektlosigkeit, die Erkenntnis, daß auch die Geschichte des von seiner Büchse springenden, rollenden und blechernden Deckels die Legende dessen ist, der nicht geliebt werden wollte ...?

Das mag als Parodie anmuten — und Parodie ist bei Rilke gegen kleine Münze zu haben —, aber meint im Ernst eine Leistung, *die* Leistung Rilkes im Durchbruch, den »Die Aufzeichnungen des Malte Laurids Brigge« für ihn darstellen: es ist die erste Arbeit, die er sich regelrecht abringen mußte, nach den Leicht-Fertigkeiten des »Larenopfers«, auch des zuweilen bigotten »Stundenbuchs«; vom

»Cornet« und den frühesten Gedichten nicht zu reden. Damals schon unstet unterwegs in Europa, dem »Diktat« — auf das er stets zu warten meinte — hinterher oder auf der Flucht vor dem Versagen (oder in eine maßlose Korrespondenz), braucht er für die »Aufzeichnungen« sechs Jahre, ehe er sie, in einem Gewaltakt gegen sich selbst, 1910 zu Ende bringt. Danach ist für ihn nichts mehr leicht, die Wortproduktion wird zunehmend schwerer. Denn folgendes ist geschehen: der Lyriker, der sich noch als Medium und Werkzeug numinoser Kräfte verstand, auf einem Höhepunkt des Maschinenzeitalters, der Industrialisierung und sich verschärfender Klassenkämpfe, hat sich, in der Begegnung und Auseinandersetzung mit der Prosa, selbst als Handwerker gefunden am Medium und Werkzeug der Wörter. Empfindlich wie kaum einer für die schier horizontlose Weite der Prosa, in der kein Vers, kein Reim, keine Strophe als Hügel, Park oder Rabatte Ordnung anzeigen und Ruhe geben, muß ihn die Erfahrung der fast unbegrenzten Machbarkeit der Sätze in allen Gewißheiten verstört haben. »Ich würde so gerne unter den Bedeutungen bleiben, die mir lieb geworden sind«, notiert Brigge: »Aber es wird ein Tag kommen, da meine Hand weit von mir sein wird, und wenn ich sie zu schreiben heißen werde, wird sie Worte schreiben, die ich nicht meine. Die Zeit der anderen Auslegung wird anbrechen, und es wird kein Wort auf dem anderen bleiben, und jeder Sinn wird wie Wolken sich auflösen und wie Wasser niedergehen«[10]. Dieser Malte Laurids Brigge empfindet sich nicht von ungefähr »ungemein beruhigt« bei der Geschichte von Nikolaj Kusmitsch, dem russischen Beamten, der sein Leben, das er noch zu erwarten hatte, in Sekunden umrechnete und dem der Boden unter der davonrasenden Zeit schwankte, bis »er sich das ausgedacht (hatte) mit den Gedichten«: »Man sollte nicht glauben, wie das half. Wenn man so ein Gedicht langsam hersagte, mit gleichmäßiger Betonung der Endreime, dann war gewissermaßen etwas Stabiles da«[11].

Für Rilke ist die Arbeit an den »Aufzeichnungen« die Erfahrung, daß es »etwas« Stabiles« nicht mehr gibt; jedenfalls nicht in der Welt des Sagbaren und Gesagten. Er läßt Malte notieren, »daß man nicht das Recht hatte, ein Buch aufzuschlagen, wenn man sich nicht verpflichtete, alle zu lesen. Mit jeder Zeile brach man die Welt an. Vor den Büchern war sie heil und vielleicht wieder ganz dahinter«[12]. Das durchzieht die »Aufzeichnungen« wie ein roter Faden und konstituiert sie zugleich: Skepsis gegen die »Bücher«, gegen Wörtlichkeiten schlechthin (». . . weil mit dem Sagen nur unrecht geschieht«[13]), ein Antagonismus Leben-Kunst, Wirklichkeit-Sprache, die Erfahrung, nicht schlicht und einfach (naiv, »diktiert«) erzählen zu können (». . . das muß vor meiner Zeit gewesen sein«); und gleichsam gegengewirkt, das Zerfließende festigend im Geflecht der Prosa, sind dennoch höchst bewußt, kalkuliert, artistisch die Wörter gesetzt, zuweilen hier schon »bis an den letzten Rand ihrer Fassungskraft« gedehnt[14], meist jedoch den Ungeübten in der Einübung selbstverführend: denn daß er vom blechernen Deckel auf die Menschen kommt, kann nur funktionieren und funktioniert im Selbstlauf der Sprache — in einer anderen Art von »écriture automatique« —, weil er zuvor dem Deckel menschliche Wünsche, Gefühle, Bewegungen zu-geschrieben hat.

Aber einverstanden ist Rilke deshalb noch keineswegs, so sehr ihn auch die Intensität, mit der er sich der von ihm selbst angestoßenen Sprachbewegung hingibt, voranbringen mag zum Einverständnis mit den Dingen, die er — in den gleichzeitig mit den »Aufzeichnungen« entstehenden »Neuen Gedichten« — ins »Sagbare«, ins Wort heimholt: die Deckel-Passage der »Aufzeichnungen« läßt sich als »Theorie« des Ding-Gedichtes lesen. Das Elend des Malte Laurids Brigge, der ein Dichter ist (und auch von sich selbst sagen könnte: »Er war ein Dichter und haßte das Ungefähre«[15]), besteht nicht zuletzt darin, daß er sich mit seiner Anstrengung nicht identifizieren kann. Er will es anders, und was er erwartet, sieht so aus: »Aber diesmal werde ich geschrieben werden. Ich bin der Eindruck, der sich verwandeln wird. Oh, es fehlt nur ein kleines, und ich könnte das alles begreifen und gutheißen. Nur ein Schritt, und mein tiefes Elend würde Seligkeit sein«[16]. Daß »nur ein kleines« und »nur ein Schritt« zur »Seligkeit« sein könnte, sich als einen von jenen zu »begreifen und gutzuheißen«, die er im »Stundenbuch« schon sagen ließ: »Werkleute sind wir: Knappen, Jünger, Meister«[17] — daran hindert Rilke (wie Malte) die unumstößliche Überzeugung, selbst nur Medium zu sein, das sich freilich in tätiger Geduld zu üben hat, um, im Sprachwerklichen hoch trainiert, bereit zu sein für den »Eindruck, der sich verwandeln wird«, für die Inspiration, das Diktat. Was Dieter Bassermann noch akzeptiert (»Alle Willenseingriffe in diesen Geschehnisablauf aber erweisen sich als fruchtlos, verwirrend, wegführend. Jeder erzwungene Akt, der nicht notwendig, gewissermaßen ohne sein Zutun, in ihm ersteht, stellt sich heraus als falsch im hergebrachten zerstreuten und zerstreuenden Sinn«[18]) und was sich in jenem viel beschriebenen und auch verrätselten Ansturm der Elegien und Sonette Anfang 1922 in Muzot zu bestätigen scheint, mag, wenn es sich als eine Sorte von Parthenogenese nicht der postumen Psychoanalyse erschließt, Gegenstand parapsychologischer Erörterungen werden: der Autor der »Aufzeichnungen« jedenfalls war schon darüber hinaus — ehe er, die Erschöpfung danach nicht begreifend, aber deutend, wieder dahinter zurückfiel.

Rilke, der jedweder Analyse abhold war und sich der Psychoanalyse entzog, weil er um seine Unbefangenheit bangte, scheint vor seinen eigenen Fertigkeiten, vor der Könnerschaft durchaus Ekel empfunden zu haben. Professionalität, die Wegmarke des Jahrhunderts schon, aus dem er kam, in das Jahrhundert hinein, in das er ging; Voraussetzung des Überlebens einer industrialisierten Massengesellschaft ebenso wie ihre Krankheit zur Entfremdung hin; Professionalität, die er selbst hatte, erreicht hatte durch Arbeit, Willenseingriffe: er hat sich ihr fremd gehalten, sich ihr nicht verbunden, obwohl er einer der letzten professionellen Lyriker war: er lebte nicht nur im, er lebte vom Gedicht. Daß seine Unzeitgemäßheit in einer Epoche des zeittaktgleichen Realismus und eines dröhnenden Naturalismus weitaus mehr war und dem Zeitalter vorausgriff, mußte ihm zwangsläufig verborgen bleiben, indem er es unternahm, »sich über sich selbst zurückzubeugen«[19]. Da er, der seine Kindheit, seine Erinnerungen, Ängste und Träume bis auf den schmerzlichsten Grund auszuloten sich mühte, sein literarisches Geschäft, sein Sprachwerk zu überdenken und zu erforschen sich weigerte, mußte ausgerechnet ihm, der zugleich in den »Aufzeichnungen« das Problem der Zeit und die Auflösung der

Grenzen zwischen Zeit und Raum erfuhr und thematisierte — ihm mußte das Ungleichzeitige seiner dichterischen Existenz entgehen. Er war zu früh und verspätete sich. Er verspätete sich selbst nicht im reflexiven, sondern in jenem aktivischen Sinne, daß er sich selbst zurücknahm aus der vordersten Linie der Literatur. Einmal Roman und nie wieder.

Denn was das literarische Jahrhundert noch bewegen wird — und die Literatur in ihren Grundfesten erschüttern —, Kafka, Joyce, Proust: das ist in den »Aufzeichnungen« schon vor-erfahren, vorformuliert, wenn auch in der Leideform. Rilke kann es nicht »begreifen und gutheißen«, daß ihm die Wirklichkeit zerfällt, daß sie zerbröselt unter dem Zugriff der Prosa, daß sich ihm (oder Malte Laurids Brigge) die Einzelheiten überdeutlich zeigen, vergrößert, anschwellend wie ein Tumor (». . . das Große schwoll an und wuchs mir vor das Gesicht wie eine warme bläuliche Beule und wuchs mir vor den Mund, und über meinem letzten Auge war schon der Schatten von seinem Rande«[20]), so daß ihm das Ganze verstellt ist. Die Atomisierung der Wirklichkeit, die sich ihm in Raum und Zeit aufdrängt ohne Unterlaß, findet ihren Niederschlag bis ins Wörtliche hinein (»Ist es möglich, daß man ›die Frauen‹ sagt, ›die Kinder‹, ›die Knaben‹ und nicht ahnt . . ., daß diese Worte längst keine Mehrzahl mehr haben, sondern nur unzählige Einzahlen?«[21]) und überfällt Malte mit dem Bild der letzten inneren Wand eines abgerissenen Hauses, das er nur einen kurzen Moment lang zu sehen braucht: und schon sind alle Einzelheiten in ihm, »ein schmutzigweißer Raum, und durch diesen kroch in unsäglich widerlichen, wurmweichen, gleichsam verdauenden Bewegungen die offene, rostfleckige Rinne der Abortröhre« oder »das Ausgeatmete und der jahrealte Rauch« oder »das Fade aus den Munden und der Fuselgeruch gärender Füße«[22].

Dieser Malte Laurids Brigge, den Rilke projiziert, um sich selbst zu finden und eine reichere Kindheit, als ihm vergönnt war, ist so durchsichtig und ohne Haut gearbeitet, daß alles vollkommen in ihn hineingeht, ungefiltert, unfermentiert. Es sind Wirklichkeiten, die »aus so viel einzigen Einzelheiten zusammengesetzt« sind, daß sie »sich nicht absehen lassen«[23]; aber es sind zugleich Wirklichkeiten, die sich erst durch Sprache vereinzeln (nur das »Unsagbare« ist das Heile) und die nur in Sprache zu einer neuen Einheit gefügt werden können. Nicht nur die Grobstruktur des Romans versucht das in der Kombination von Erinnerung, Erzählen von Erzähltem, historischen Reminiszenzen und Reflexionen, Gegenwartsbeschreibungen, Selbstbeobachtung und Erörterungen über Tod, Liebe, Angst und Wirklichkeitserfahrung zu leisten (ohne in herkömmlichem Sinne noch Roman werden zu können). Die Sprachanstrengung gegen Entfremdung und Zerfall von Wirklichkeit kann durchaus am konkreten Stoff exerziert werden in der Versprachlichung eines räumlich begrenzten, statischen Bildes (»unten ist folgende Zusammenstellung . . .«[24]) oder in der Auseinandersetzung mit der Ungleichzeitigkeit von erzählter Zeit und Erzählzeit: »Ich begreife nicht, wie das, was jetzt geschah, sich in etwa fünf Sekunden abspielen konnte. So dicht man es auch erzählt, es dauerte viel länger«[25]. Da braucht es wirklich »nur ein kleines« und »nur einen Schritt«, und der literarische Prozeß und seine Problematik der Entfremdung von Wirklichkeit durch Sprache, oder der in Zeitschritten gehenden Verwörtlichung eines ohne Zeit Seienden, oder der konstitutiven Diskontinuität von Realzeit und Erzählzeit —: das alles wäre selber Gegenstand der Literatur. Es ist charakteristisch für die »Aufzeichnungen« und für ihren Autor, den die Verfrühung dunkel bestürzte und der vor ihr floh in die Verspätung seiner selbst, daß Rilke vor diesem Schritt verhielt. So zeitig unzeitig im Jahrhundert wagt er sich weit nach vorn (auch weit über seine Verhältnisse hinaus), wenn er Bild und Zeit in einer kurzen Szene auseinandertreibt und die Bruchstellen versprachlichter Wirklichkeit erkennen läßt. Es ist die Szene, in der Malte Zeuge des von einem Arzt vorgenommenen Herzstichs an der Leiche seines Vaters wird:

»Nein, nein, vorstellen kann man sich nichts auf der Welt, nicht das Geringste. Es ist alles aus so viel einzigen Einzelheiten zusammengesetzt, die sich nicht absehen lassen. Im Einbilden geht man über sie weg und merkt nicht, daß sie fehlen, schnell wie man ist. Die Wirklichkeiten aber sind langsam und unbeschreiblich ausführlich. Wer hätte zum Beispiel an diesen Widerstand gedacht. Kaum war die breite, hohe Brust bloßgelegt, so hatte der eilige kleine Mann schon die Stelle heraus, um die es sich handelte. Aber das rasch angesetzte Instrument drang nicht ein. Ich hatte das Gefühl, als wäre plötzlich alle Zeit fort aus dem Zimmer. Wir befanden uns wie in einem Bilde. Aber dann stürzte die Zeit nach mit einem kleinen, gleitenden Geräusch, und es war mehr da, als verbraucht wurde. Auf einmal klopfte es irgendwo. Ich habe noch nie so klopfen hören: ein warmes, verschlossenes, doppeltes Klopfen. Mein Gehör gab es weiter, und ich sah zugleich, daß der Arzt auf Grund gestoßen war. Aber es dauerte eine Weile, bevor die beiden Eindrücke in mir zusammenkamen«[26].

Für die kurze Dauer von drei Sätzen (»Ich hatte das Gefühl.../... als verbraucht wurde«) könnte man meinen, mitten im nouveau roman zu sein — wenn man für die kurze Dauer der drei Sätze vergessen kann, daß die Wirklichkeitserfahrung der Partikulierung von Raum und Zeit als Verlust und Schmerz empfunden wird und nicht die theoretisch begründete bosselnde Arbeit ist an der sprachlichen Erfassung der Struktur selbst des Wirklichen. Dennoch bleibt, wie mir scheint, die verfrühte Leistung Rilkes für den modernen Roman noch zu rezipieren. Die erste Welle der (verspäteten) theoretischen Rilke-Rezeption nach dem Krieg hat im Gefolge der Existenzphilosophie auf Kierkegaards Spuren den Existenzdichter in Rilke gesucht[27] und ihn (fast möchte man angesichts von Rilkes Ubiquität sagen: selbstverständlich) auf manchem Holzweg auch gefunden, den Dichter der Liebe, des Todes und der Angst — und sie hat prompt das Literarische dieses Autors auf lange Zeit verstellt. Auch heute kann man eines Durchbruchs zur Nüchternheit nicht gewiß sein: Rilke bietet, wie das seine Art ist, auch in den »Aufzeichnungen«, zu vielen modischen Bedürfnissen seine Gunst an. So ist eher zu fürchten, daß Rilkes Roman als Boutique herhalten muß, in der sich romantische Vorstellungen von Frauenemanzipation und von der Liebe, die noch zu ›leisten‹ ist, ebenso lila einkleiden können wie auf literarisch vergütete Accessores versessene PSI-Adepten. Dann darf Cavalier, der treue Hund, wieder die Aura der doch soeben beerdigten Ingeborg winselnd und leckend umspringen; dann kann die lose Hand unter Klein-Maltes Spieltisch und im Dunkeln nach dem heruntergerollten roten Malstift tasten; dann schreitet die längst verstorbene Christine Brahe durch den Raum, PSI-Phänomen und nicht-emanzipiert zugleich; und dann zahlt sie sich wieder bitter aus: die unaufhebbare Versatilität und Promiskuität eines unaufgeklärten Literaten und Sprachartisten, der die Verfrühung, die seine Chance gegen die Selbstverführung war, nicht angenommen und nicht ›geleistet‹ hat.

1 AW II, 124. Zitiert wird nach den vom Rilke-Archiv in Weimar herausgegebenen, von Ruth Sieber-Rilke, Carl Sieber und Ernst Zinn besorgten Ausgewählten Werken, Leipzig 1942.

2 »In Sachen Rainer Maria Rilke«. Diskussion. In: »Sprache im technischen Zeitalter«, 17—18, 1966, S. 28.

3 »Rainer Maria Rilke«. In: »Deutsche Literatur im zwanzigsten Jahrhundert«. Hrsg. v. Hermann Friedmann u. Otto Mann. Heidelberg 1954, S. 86—106.

4 AW II, 206.

5 AW II, 208.

6 AW I, 269.

7 »Wege mit Rilke«. Frankfurt 1952, S. 87 f.

8 AW II, 154.

9 AW II, 152 f.

10 AW II, 47.

11 AW II, 146 f.

12 AW II, 167.

13 AW II, 108.

14 Was Fritz Klatt, einer der ersten Rilke-Monografen (2. Aufl.: Wien 1949), erst dem Spätwerk zuspricht: S. 156.

15 AW II, 140.

16 AW II, 48.

17 AW I, 22.

18 »Der späte Rilke«. 2. Aufl.: Essen 1948, S. 57.

19 J.-F. Angelloz: »Rainer Maria Rilke Leben und Werk«. München 1955, S. 233.

20 AW II, 55.

21 AW II, 23.

22 AW II, 42 u. 43.

23 AW II, 133.

24 AW II, 19.

25 AW II, 186.

26 AW II, 133.

27 Wobei zumal noch Otto Friedrich Bollnows Rilke-Buch gedacht sei: Stuttgart 1951.

Wolfgang Bittner
Ein Reiterfähnrich namens Christoph Rilke

Als ich »Die Weise von Liebe und Tod des Cornets Christoph Rilke«
von Rainer Maria Rilke das erstemal las, war ich neunzehn. Ich hatte
bis dahin wenig gelesen: Goethe, Schiller, Lessing und Kleist in der
Schule; Karl May, Billy Jenkins, Tom Prox und Pete zu Hause.
Natürlich kannte ich Rilke noch von der Schule her als einen Dichter,
wußte aber nichts von seiner Adelssüchtigkeit, seiner sozialen Unwis-
senheit und seinem politischen Unverstand. Lange Zeit, bis ich durch
Zufall einmal auf seine Lebensdaten stieß, hielt ich ihn für einen
Zeitgenossen Eichendorffs und Hölderlins, mit deren Namen sich für
mich ebenfalls vage Vorstellungen an Gedichte über Blumen und Sehn-
sucht verbanden. Daß Rilke in der Zeit des Ersten Weltkriegs, der
Russischen Oktoberrevolution und auch der Weimarer Republik gelebt
hat, wäre mir nie in den Sinn gekommen; abgesehen davon, daß ich
mir damals, mit neunzehn Jahren, keine Gedanken über derartige
Fragen machte (dazu war ich bereits zu lange in einem geisttötenden
Beruf tätig gewesen). Rilke und sein »Cornet« interessierten mich
seinerzeit herzlich wenig; ich las das Büchlein nur, weil ich es von einer
Freundin geschenkt bekam und vermutete, daß sie sich mit mir darüber
würde unterhalten wollen.

Was empfand ich damals beim Lesen? Was für einen Eindruck hatte ich mit neunzehn von dieser Romanze um Liebe und Tod? Daß ich berührt war davon, daß ich einen nachhaltigen Eindruck hatte, weiß ich genau. Aber je mehr ich die Erinnerung bemühe, desto verschwommener werden die Konturen. Bedeutet das, ich hätte seinerzeit nicht über den Inhalt dessen, was ich las, nachgedacht? Waren bei mir allein die Gefühle angesprochen worden? Was wußte ich später noch über den Cornet? Ein junger Mann, ein Adliger, zog zu Pferde in den Krieg. Und da war die Sehnsucht nach einem blonden Mädchen daheim, da hatte es einen die Sonne verfinsternden großen General gegeben, ein gewaltiges Heer, die Nacht mit der Gräfin, das brennende Schloß. Alles irgendwie merkwürdig, undeutlich, aber voll von Gefühlen. Wer hätte da nicht mit hinausreiten mögen, gegen die heidnischen Hunde kämpfen, mit Gräfinnen schlafen? Was spielte es für eine Rolle, daß der junge Reiter hinterher erschlagen wurde; zu Hause weinte ja eine alte Mutter um ihn. Ich glaube, ich hatte einen Kloß im Hals, als ich das las, ähnlich wie neulich, als ich »Die Bettelprinzeß« von Courths-Mahler im Fernsehen sah.

Rilke selbst hat sich später zumeist distanziert zu diesem Frühwerk geäußert, das 1899 entstanden war und 1906 in überarbeiteter Fassung erstmals als Buch erschien. Andererseits schrieb er noch 1923, also drei Jahre vor seinem Tod, an den Verleger Kippenberg, der ihm ein Exemplar der ersten Ausgabe, die Rilke nicht mehr besaß, zugeschickt hatte: »Der alte Cornet hat mich gerührt, und Ihre liebe Inschrift eignet mir ihn — auf einer höheren Ebene gewissermaßen — zu.« Auch aus dem Jahre 1924 ist eine Äußerung bekannt. Der »Cornet«, so erinnert sich der Dichter in einem Brief an H. Pongs, sei das unvermutete Geschenk einer einzigen Nacht gewesen, einer Herbstnacht, in einem Zuge hingeschrieben bei zwei im Nachtwind wehenden Kerzen; das Hinziehen von Wolken über den Mond habe ihn verursacht, nachdem die stoffliche Veranlassung ihm einige Tage vorher, durch die erste Bekanntschaft mit gewissen, durch Erbschaft an ihn gelangten Familienpapieren, eingeflößt worden sei.

Wenn man weiß, daß Rilke auch in späteren Jahren noch intensivste

Ahnenforschung betrieb, um seine adlige Abstammung nachzuweisen, wird gerade aus seinen Äußerungen in den Briefen an Kippenberg und Pongs klar, daß er mit dem Cornet, der nicht zufällig den Namen Rilke trägt, ein Wunschbild materialisiert hat, zu dem er sich auch als fast Fünfzigjähriger noch in Rührung bekannte. Offensichtlich war er keiner tiefergehenden Reflexion darüber fähig. Sein Leben lang legte er gesteigerten Wert auf den Umgang mit Baronessen, Gräfinnen, Fürstinnen und Herzoginnen. Hier kommt ein Wesenszug Rilkes zum Vorschein, der in der »Weise von Liebe und Tod des Cornets Christoph Rilke« eine frühe deutliche Ausformung gefunden hat.

War Rilke nun wirklich der unpolitische Mensch, für den er selber sich hielt? Nach Mussolinis »Marsch auf Rom«, nach der Ermordung des Pazifisten und Abgeordneten Matteotti durch die italienischen Faschisten, schrieb der Dichter 1926 der in Mailand lebenden Herzogin Gallarati Scotti, einer Verehrerin, die ihn um Verständnis für die politischen Nöte ihrer Familie und ihres Landes gebeten hatte: »Was die Politik betrifft, so stehe ich ihr dermaßen fern und fühle mich so unfähig, mir ihre Bewegungen und Gegenbewegungen zu erklären, daß es lächerlich wäre, wenn ich mich über irgendein in ihrem Bereiche liegendes Ereignis äußern wollte, was immer es auch sei«.

Aber wovon handelt sein »Cornet«? Geht es darin nicht um Krieg und Gewalt? Werden damit denn nur die hehren menschlichen Gefühle angesprochen? Oder werden nicht vielmehr primitive Instinkte geweckt? Ich habe das Buch vor einigen Tagen erneut gelesen, ich finde es zum Teil erschreckend und makaber. Es wird nicht gesagt, warum dieser Junker und der Herr Marquis in den Krieg ziehen, was es zu verteidigen gibt oder zu erobern gilt. Es wird von türkischen und heidnischen Hunden gesprochen, von Untermenschen also, die mit Vorliebe fremde Frauen blutig und bloß an Bäume binden.

Gegen diese feindlichen Kreaturen ziehen die Herren auf ihren samtenen Sätteln im weißen Spitzenkragen, die alle einander nah sind, die aus Frankreich kommen, aus Burgund, aus den Niederlanden, aus Kärntens Tälern, von den böhmischen Burgen und vom Kaiser Leopold, die rote Rose von der Geliebten auf der Brust bei sich tragend, zu Felde. Geführt werden sie von einem gewaltigen General namens Spork: »Neben seinem Schimmel ragt der Graf. Sein langes Haar hat den Glanz des Eisens. Der von Langenau hat nicht gefragt. Er erkennt den General, schwingt sich vom Roß und verneigt sich in einer Wolke Staub. Er bringt ein Schreiben mit, das ihn empfehlen soll beim Grafen. Der aber befiehlt: ›Lies mir den Wisch.‹ Und seine Lippen haben sich nicht bewegt. Er braucht sie nicht dazu; sind zum Fluchen gerade gut genug. Was drüber hinaus ist, redet die Rechte. Punktum. Und man sieht es ihr an. Der junge Herr ist längst zu Ende. Er weiß nicht mehr, wo er steht. Der Spork ist vor Allem. Sogar der Himmel ist fort. Da sagt Spork, der große General: ›Cornet.‹ Und das ist viel«.

Schließlich kommen bunte Buben dem Troß entgegengelaufen, die raufen und rufen. Kommen Dirnen mit purpurnen Hüten im flutenden Haar, winken. Kommen Knechte, schwarzeisern wie wandernde Nacht, packen die Dirnen heiß, daß ihnen die Kleider zerreißen, drücken sie an den Trommelrand, und von der wilderen Gegenwehr hastiger Hände werden die Trommeln wach, wie im Traum poltern sie, poltern ... Die reglose Fahne aber hat unruhige Schatten, sie träumt. Hinterher brennt sie mitten im Feind. Und zum Schluß, als die sechzehn runden Säbel auf den Cornet zuspringen, Strahl um Strahl, sind sie ein Fest, eine lachende Wasserkunst.

War es zur damaligen Zeit wirklich so schwer zu erkennen, daß hier eine Glorifizierung des Krieges, eine Verherrlichung der Gewalt stattfand, daß inhumane Parolen und sentimentale Torheiten verbreitet wurden? Mußte das nicht spätestens, allerspätestens nach dem Ende des Ersten Weltkriegs wenigstens den Leuten klar sein, die sich zur geistigen Elite Europas zählten? Weit gefehlt! Selbst nach dem Zweiten Weltkrieg noch gehörte und gehört Rilkes »Cornet«, der 1959 die Millionenauflage überschritten hat, zu einer der beliebtesten Lektüren der oberen Schichten.

Der »Cornet« ist außerordentlich problematisch. Ich meine, daß es an der Zeit ist, diesem Opus, vor allem in den Schulen, mit kritischerem Bewußtsein gegenüberzutreten, als das bisher noch der Fall ist. Sonst steht zu befürchten, daß wir mit der inzwischen immer mehr alle Lebensbereiche ergreifenden und zu einer Epoche ausartenden Nostalgiemode, die — wie sollte es anders sein — parallel mit einem radikalen Rechtsruck verläuft, eine Rilke-Renaissance erleben werden, die besonders dem »Cornet« zu neuen Auflagenrekorden verhelfen dürfte. Trotz aller inhumanen und restaurativen Tendenzen, trotz aller stilistischen Fehlgriffe und makabren Wortspiele.

Auch der Person Rilkes gegenüber dürfte etwas mehr Skepsis angebracht sein. Zwar sollte man sich davor hüten, einen Teilaspekt zu verallgemeinern. Immerhin zeigt sich aber, angefangen bei den frühesten Werken aus der Prager Zeit bis hin zu den letzten Briefen, eine latente faschistoide Einstellung Rilkes. Noch am 14. Februar 1926 pries er in seinem Brief an die Herzogin Gallarati Scotti Mussolini als »Architekten des italienischen Willens« und als »Schmied eines an der Flamme eines alten Feuers neu auflodernden Bewußtseins«. Ungeachtet aller Gewalttaten und Terrormaßnahmen der Faschisten nannte er Italien ein glückliches Land. In den »Lettres Milanaises« finden sich enthusiastische Bekenntnisse zu soldatischer Disziplin, Heldentod und Führertum.

Rilke hatte, im Gegensatz zu vielen seiner künstlerisch tätigen Zeitgenossen, kaum etwas aus dem Ersten Weltkrieg gelernt, den er wohlbehalten als Zivilist überstand. Mit dem Bedauern um seine im Jahre 1914 geschriebenen Kriegsgesänge (»Endlich ein Gott«, »Heil mir, daß ich Ergriffene sehe« . . .) kann es nicht weit her gewesen sein. Wohlmeinende Biographen schreiben zwar unter Berufung auf zahlreiche Briefe, er habe »diesen Tribut an ein Allgemeines schmerzlichst in unsagbarem Leiden gebüßt«. Aber sieht man seine frühen Prager Werke, seinen »Cornet«, seine Kriegsgesänge und die zitierten Briefstellen in einem Zusammenhang, so zeigen sich ein Charakterzug und eine Seite im Werk dieses Dichters, die alles andere als akzeptabel sind. Mag man sonst zu Rilke stehen wie man will.

Gunner Huettich
Rilke in Amerika: Gestern heute morgen

Rilke ist im Kommen. Neuauflagen seiner Werke, entweder schon erschienen oder angekündigt, literaturwissenschaftliche Tagungen und Schriften der letzten zwei Jahre beweisen ein reges, wachsendes Interesse an dem unpolitischen ›Dichter der Innerlichkeit‹.

Man scheint die Vernachlässigung Rilkes während der politischen sechziger Jahre wieder gutmachen zu wollen. Auf dem neuen Plan zeigt sich ein ausgesprochener Methodenpluralismus, vertreten von Strukturalisten, Literatursoziologen, Literaturpsychologen, und neuen Geisteswissenschaftlern. In der Bundesrepublik jedenfalls ist Rilke wieder aktuell, und der einfache Leser, der Liebhaber der Lyrik, kann aus der Diskussion nur profitieren. Denn was auch immer man aus Rilke macht, so bleibt er doch zuerst ein hervorragender Sprachkünstler, dessen Werk von Anfang an ein internationales Interesse, einen internationalen Leserkreis beanspruchte. Und das ist nicht wenig, wenn man bedenkt, daß kein Benn diesen unmittelbaren Ausspruch auf eine nicht-deutschsprachige Leserschaft — noch heute — erhebt.

Wie steht es mit der heutigen Rilke Renaissance in den USA? Um diese Frage zu beleuchten, dient ein kurzer Abriß der Rilke Rezeption in den USA. Schon 1909 erschienen die ersten englischen Übersetzungen der Rilke Lyrik in »Contemporary German Poetry«, von Jethro Bithell[1]. In den USA erschienen die ersten Übersetzungen auch in Anthologien: 1914 sechs Gedichte im 18. Band der »The German Classics«, herausgegeben von der German Publication Society of New York. Es folgten 1916 elf Rilke Gedichte in einem der ersten Standardwerke deutscher Lyrik in den USA, »A Harvest of German Verse«, eingeleitet von Kuno Francke. Darauf folgten 1923 vierzehn Gedichte übersetzt von Babette Deutsch und Arrahm Yarmolinsky in »Contemporary German Poetry«. Schon fünf Jahre früher wurde die erste amerikanische Rilke-Einzelausgabe »Poems« veröffentlicht. Es war eine beschränkte Auflage von 500 Exemplaren, übersetzt von Jessie Lamont, mit einem Vorwort von Hans Trausil. Diesem, einem ausgesprochen avant-gardistischen ›schönen‹ Buch auf Enfield Deckle Edge Paper gedruckt, folgt 1919, von denselben Autoren, Rilkes »Auguste Rodin«, wieder ein schönes Buch von 800 Exemplaren.

Von Anfang an also sieht man Rilke in den USA als l'art pour l'art Dichter, als Sprachkünstler, dessen Werk nicht nur die internationale lyrische Avant-garde anspricht, sondern sich auch als objet d'art verbreiten läßt. Bevor man in den USA von einer kritischen Rilke Rezeption sprechen kann, sieht man den Dichter als deutschsprachigen Vertreter des bei Lesern und Lyrikern als avant-garde anerkannten französischen Symbolismus in Verbindung mit Beaudelaire, Mallarmé und Rimbaud.

Vom Erscheinen jener ersten Werke in den USA 1914 bis zum Ansatz einer kritischen literaturwissenschaftlichen Rezeption zwischen 1935 und 1940, gewinnt Rilke an literarischem Ansehen, das sich bis zur Hagiographie entwickelt. Diese Entwicklung ist eng verbunden mit dem steigenden Interesse prinzipiell an Lyrik in den USA. Diese Jahre begrenzen nämlich ungefähr die populärintellektuelle Bewegung der Little Magazines. In diesen ›Littlemags‹, unzähligen Zeitschriften, beschränkt an Auflagen und Verbreitung nur durch die finanziellen Mittel der privaten Herausgeber — meistens Lyriker, Liebhaber oder Studentengruppen —, zeigte sich die neue amerikanische Lyrik neben

Übersetzungen aus allen Ländern. Also steht Rilke hier immer wieder schlagartig künstlerisch, avant-gardistisch, modern, neben den lyrischen Größen der englischen Sprache wie Ezra Pound, Amy Lowell und T.S. Elliot. So wird sein Werk unmittelbar in das lyrische Bewußtsein der Leser, meist selbst schreibende Liebhaber, die sich zur lyrischen Avantgarde bekennen, aufgenommen.

Einige Beispiele wären hier aufzuweisen, die sich wie ein ›Who's Who‹ der Littlemag Bewegung ansehen lassen. In Chicago brachte »Poetry« Rilke Lyrik schon 1915. »Poet Lore« aus Boston bringt regelmäßig Rilke Gedichte: 1915, 1916, 1919 und 1923. »The Bookman« in New York begann Rilke-Übersetzungen 1916 zu veröffentlichen, »The Dial« in Camden, New Jersey, 1926, und die am weitesten verbreitete »North American Review« 1925. Darauf folgen »The Coming Age«, 1927; »The Golden Book«, 1929; »The Hound and the Horn«, 1931; und »It Has Been Said«, 1933. Natürlich weisen diese Angaben nur auf eine beschränkte Rezeption hin, eine Rezeption auf sehr elitärer Ebene. Aber Rilke wurde auch bekannt, sogar beliebt, nicht nur in solchen Kreisen, sondern auch auf der breiteren populären Ebene der Zeitschriften und Illustrierten von nationaler Bedeutung und fast unbeschränktem Leserkreis. 1920 druckte die angesehene Zeitschrift »The Nation« sechs Rilke Gedichte. »Harpers Magazine«, eine der populärsten amerikanischen Illustrierten dieser Zeit, druckte 1938 Rilke-Gedichte. Deren noch populärerer Nachfolger, »Harpers Bazaar«, folgte im Kriegsjahr 1942, in einer Zeit, da in Sachen Deutsch ein Tiefkurs herrschte; eine Auswahl der Duineser Elegien übersetzte M. A. Herter Norton aus der Familie des berühmten Verlags W. W. Norton and Co.

Gleichzeitig entwickelte sich in diesen Littlemags auch ein Ansatz zur kritischen Rezeption Rilkes in Amerika, mit enthusiastischen Beiträgen zum Leben und Werk des Dichters, die jedoch mehr an Feierlichkeit und bekennende Hagiographie erinnern als an Literaturwissenschaft. Bevor aber die amerikanischen Herren Professoren der Germanistik merkten, daß Rilke schon mehr als 20 Jahre lang in ihrem Land als Lyriker aktuell ist, und ehe sie ihn in ihren hochgelehrten philologischen Zeitschriften mit einem kritischen Blick bedachten, veröffentlichten Littlemags zwei der ersten wahrhaft wissenschaftlichen Arbeiten, die über Rilke in Amerika erschienen. Federico Olivero, der schon mit ausgeprägten Ansätzen des kommenden ›New Criticism‹ operiert (eine Methode, nebenbei, deren Entwicklung mit der Littlemag Bewegung eng in Verbindung steht), veröffentlichte im August 1930 »The Mystic Image of Rainer Maria Rilke« in »Poet Lore«. Dieser 20 Seiten langen, schon textimmanenten Analyse der Rilkeschen Bilderkonstruktion stellte Olivero eine kürzere Studie, »The Spiritual Landscape in Rainer Maria Rilke« in »The Poetry Review« (August, 1930) an die Seite.

Obwohl der erste Rilke Aufsatz in einer philologischen Fachzeitschrift, Felix Wittmers »Rilkes Coronet«, schon fünf Jahre früher erschien (PMLA, 3, 1929), blieb dieser Durchbruch ohne direkte Folgen. Zur konzentrierten wissenschaftlichen Behandlung Rilkes in den akademischen Fachzeitschriften der USA kommt es erst 1934. Interessanterweise sind es hier die jungen amerikanischen Germanisten der Epoche — Helmut Rehder, Ernest Feise, Victor Lange, Bernhard Blume, Wolfgang Paulsen, Frank Wood, Stanley Kuritz u. a. m., deren Verdienst es ist, daß die US Germanistik überhaupt ihr heutiges Niveau erreicht hat —, die mit ihren frühen Aufsätzen den Weg zu einem ernsthaften Rilke-Studium bereiteten.

Helmut Rehders vergleichender Aufsatz »Rilke und Elizabeth Barret Browning« (JEGP, 4, 1934), Erich Hofachers »Rainer Maria Rilke und Christian Morgenstern« (PMLA, 2, 1935), John C. Blankenagels »Rainer Maria Rilke's Poem on Heinrich von Kleist« (MLN, 2, 1936) und Ernest Feises »Rilkes Weg zu den Dingen« (Monatshefte, 4, 1936) eröffnen in rascher Reihenfolge das Rilke-Studium in den USA. Daraufhin entwickelt sich eine rege Rilke-Diskussion in den Fachzeitschriften, die sich auch während der Kriegsjahre 1941—45 noch verbreitet, so daß zwischen 1934 und 1945 nicht weniger als 30 Rilke-Studien in den führenden Fachzeitschriften »PMLA«, »JEGP«, »MLN«, »Monatshefte« und »Germanic Review« erschienen[2]. Damit ist Rilke 1945 auch in der amerikanischen Germanistik ein Begriff, wenn auch nicht gerade mit dieser populären unmittelbaren Durchschlagskraft, die der Dichter auf der populär-literarischen Ebene der USA durch Übersetzungen seiner Lyrik bewiesen hatte.

Die erste amerikanische Dissertation, in der Rilke behandelt wird, erscheint 1940, von Llewellyn Riggs, Stanford University, über den Tod bei Schnitzler, Rilke und Hoffmannsthal; die zweite, über Rilke und das Theater, stammt von Roman Howard Edgar, Harvard, 1943. Nach dem ersten Jahrzehnt der eigentlich sehr enthusiastischen Aufnahme Rilkes durch die US Germanistik wird es langsam wieder etwas stiller um Rilke. Die Gründe dafür sind womöglich nur in einer detaillierten literatursoziologischen Arbeit über diese erste Nachkriegsepoche 1945—53 aufzudecken, aber sie sind wahrscheinlich einerseits mit der Neuorientierung der Germanisten Deutschlands und Amerikas auf die deutsche Klassik als geschichtlich humanistischen Gegenpol zur jüngsten Vergangenheit und andererseits mit der Konzentration auf die neueste zukunftsweisende Nachkriegsliteratur verbunden. Jedenfalls erscheinen zwischen 1941 und 1955 nur sechs Dissertationen und weniger als 20 Aufsätze in den führenden Fachzeitschriften der USA. Eine wichtige Ausnahme ist die 1933er Veröffentlichung in Düsseldorf — mit nur 3000 Exemplaren — von »Rilkes Prager Jahre« von Peter Demetz. Ob Demetz allerdings damals schon als amerikanischer Germanist gezählt werden kann, ist ebenso fragwürdig wie es heute bei Jost Hermand, Reinhold Grimm, Walter Hinderer oder Frank Trommler der Fall wäre.

Man steht Rilke in diesen Jahren bestenfalls kühl gegenüber, so daß John Frey in seinem ausgezeichneten Abriß der Germanistik in den USA diesen Sachverhalt positiv bewertet: »Since a host of critical commentaries testify to Rilkes phenomenal and lasting impact on the whole Western world, one notes with relief the restraint governing the Germanists preoccupation with this poet«[3]. Aber Demetz' fortschrittlich, psychologisch, linguistisch und nicht zuletzt soziologisch orientiertes Buch bleibt nicht ohne Folgen in den USA. Die von Frey gekennzeichnete reservierte Haltung der amerikanischen Germanisten hält sich nicht lange. Zwischen 1958 und 1960 erscheinen drei wegweisende Bücher in den USA, die heute noch immer als Standardwerke akzeptiert werden: Norbert Fuersts »Phases of Rilke« (1958), Frank Woods »Rainer Maria Rilke: The Ring of Forms« (1958) und H. Fred Peters »Rainer Maria Rilke: Masks and the Man«. Schlagartig ist das Rilke Studium hiermit in der Vorderfront der amerikanischen Literaturwissenschaft eingenistet: eine Position, die der Dichter noch heute hält. Fuerst bringt eine höchst unterhaltsame enthusiastische, aber doch kritische Biographie, während Peters und Wood vorerst mit der gerade ›arrivierten‹ Methode des New Criticism Texte interpretieren. Trotzdem verfallen sie nicht der Gefahr, bloße Interpretationsgymnastik zu treiben, sondern sie vervollständigen ihre anspruchsvollen Arbeiten mit geschichtlich-epochalen und vergleichenden Perspektiven. Diese Kombination ist charakteristisch für den Methodenpluralismus, der sich in den folgenden Rilke-Studien der US Germanistik zeigt.

Auf der Basis dieser Bücher wächst das Rilke Studium in den USA der sechziger Jahre, korrespondierend mit dem wachsenden Interesse an Germanistik überhaupt. Auch trotz der Betriebsflaute der siebziger Jahre — hierzulande verkaufen demnächst arbeitslose Germanisten Autos oder waschen dieselben nebst Tellern, um ihren Lebensunterhalt zu bestreiten — ist das kritische Interesse an Rilke noch offenbar. Ein kurzer statistischer Abriß zeigt, daß zwischen 1957 und 1973 nicht weniger als 130 Aufsätze über Rilke in den oben angegebenen Fachzeitschriften erscheinen. Dazu kommen noch 51 Dissertationen. Der Schwerpunkt in den Zeitschriften zeigt sich 1963 mit 12, 1968 und 1969 mit je 13 und 1971 mit 8 Aufsätzen. Dissertationen erreichen ihre größte Anzahl später: 1970: 7; 1972: 6; 1973: 7. Weniger als ein Drittel dieser Werke sind primär auf Form und Strukturprobleme konzentriert, während mehr als zwei Drittel der Arbeiten sich in den Kreisen der geschichtlich-epochalen, der Stoff- und motivgeschichtlichen, der biographischen oder der psychologischen und neuerdings der literatursoziologischen Forschung bewegen. Die neueste Anregung auf diesem Gebiet ist die ausgesprochen literatursoziologische Studie »Das verschluckte Schluchzen« von Egon Schwarz, der mit seinem Kollegen in St. Louis, Peter Uwe Hohendahl und in enger Verbindung mit Jost Hermand und Reinhold Grimm in Wisconsin im Begriff ist, den amerikanischen mittleren Westen zur hohen Schule der Literatursoziologie — Bereich Germanistik — zu machen.

In den USA ist also keine Rilke-Renaissance nötig. Rilke war, ist und bleibt voraussichtlich im Vordergrund der US Germanistik in einer Rangliste, wo ihn nur Goethe, Schiller, Heine oder Brecht an der Frequenz der kritischen Behandlung überbieten. Aber auch auf der populär-literarischen Ebene — insofern Lyriker überhaupt gelesen oder ernst genommen werden — kann von der Notwendigkeit einer Rilke-Renaissance nicht die Rede sein. Denn hier, bei amerikanischen Lesern, ist das unmittelbare Interesse an Rilkes Lyrik nie geschwunden, und noch heute üben und rühmen sich angehende ebenso wie profilierte Lyriker der USA mit neuen Rilke Übersetzungen. Dafür sind die Inhaltsangaben der jetzt etablierten Nachfolger der früheren Littlemag Bewegung »Kenyon Review«, »Shenandoah«, »Rocky Mountain Review« und »Shawnee Review« hinweisend.

Die amerikanische Germanistik wird sich weiterhin mit Rilke auseinandersetzen, wahrscheinlich etwas geschichtlicher, etwas soziologischer, etwas kritischer. Das ist der Trend. Auf populär-intellektueller Ebene wird er jedoch immer noch als ein Sprachkünstler ersten Ranges anerkannt und gefeiert werden. Die Aufgabe für die Zukunft, um dies alles sinnvoll zu vereinigen, macht es, hier wie in Deutschland notwendig, die wissenschaftlichen und populären Bereiche in Verbindung, in den Austausch der Ideen zu bringen. Leider hat die amerikanische Germanistik weniger — also fast keinen — Bezug zur populären Ebene des Lesers, also den nicht elitär-akademischen Gesellschaftsschichten, als die deutsche Germanistik. Die Zukunft der Rilke Rezeption in den USA kann durch einen notwendigen akademisch-gesellschaftlichen Brückenschlag profitieren. Man soll diesem außerordentlichen Sprachkünstler die Möglichkeit verschaffen, wie es heute in der Bundesrepublik der Fall ist, in das Bewußtsein des Lesers im elektronisch-technischen Zeitalter kritisch aufgenommen zu werden. Wenn die US Germanistik eine Aufgabe hat (und das hat sie, sonst versiecht sie erstens am Studentenschwund und zweitens am Versäumnis, die gesellschaftliche Irrelevanz ihrer Arbeit in diesem Lande zu beseitigen), ist es doch die, dem amerikanischen Leser positiv-progressive Hinweise zu geben auf die gesamte deutsche Literatur. Und dazu ist Rilke bestens geeignet. Er war schon immer populär und ist es noch. Das müßte man ausnutzen.

1 Bithell war Germanist an der Universität Manchester. Seine Übersetzungen in diesem Band sind wahrscheinlich die ersten Werke Rilkes in englischer Sprache. Ob dieses Buch einen Einfluß in den USA. hatte, ist nicht nachzuweisen.

2 »German Literature«, in: »Modern Literature II«, hrsg. von Victor Lange, Englewood Cliffs 1968, S. 177.

3 Vgl. Richard von Mises: »Rilke in English. A Tentative Bibliography«, Cambridge 1947, S. 29—38.

IV

Rilkes Leben und Werk
1875 — 1927

1875	Am 4. Dezember in Prag, Heinrichsgasse (Jindřišská ulice) 19 geboren. Eltern: Josef Rilke und Sophie (Phia) geb. Entz
1882—1886	Besuch der von Piaristen geleiteten Volksschule in Prag
1885	Trennung der Eltern
1886—1890	Zögling der Militär-Unterrealschule St. Pölten
1890—1891	Besuch der Militär-Oberrealschule zu Mährisch-Weißkirchen (Hranice)
1891—1892	Besuch der Handelsakademie in Linz
1892	Rückkehr nach Prag und Beginn der privaten Vorbereitung zum Abitur. Tod des Onkels Jaroslav Rilke Ritter von Rüliken
1894	*Leben und Lieder.* Valerie von David-Rhonfeld
1895	Am 9. Juli Abitur und im Wintersemester Beginn des Universitätsstudiums in Prag (Literatur, Geschichte, Kunst und Philosophie; im zweiten Semester Jus) *Wegwarten I—III; Larenopfer.* Mitarbeit an Zeitschriften
1896—1897	Studium in München. Wilhelm von Scholz, Jakob Wassermann
1897	Begegnung mit Lou Andreas-Salomé Mitte Juni—August in Wolfratshausen bei München. Namensänderung: Rainer. Im Herbst Übersiedlung nach Berlin. Stefan George. Gerhart Hauptmann. *Traumgekrönt; Im Frühfrost* (Uraufführung in Prag)
1898	Berlin. April—Mai Florenz, Toskana. Sommer in Zoppot. Dezember in Bremen und Worpswede. Liliencron und Dehmel. *Advent; Am Leben hin; Ohne Gegenwart*
1899	Berlin-Schmargendorf, Villa Waldfrieden. Wien: Schnitzler, Hofmannsthal. Ende April—Mitte Juni erste russische Reise mit dem Ehepaar Andreas. Besuch bei Leonid Pasternak und und Tolstoj in Moskau. *Zwei Prager Geschichten; Mir zur Feier*

1900　Von Anfang Mai—Ende August zweite russische Reise mit Lou Andreas-Salomé. In Jasnaja Poljana bei Tolstoj; Kiew, Wolgafahrt, Moskau, Novinki (Drožžin), St. Petersburg. Russische Kunststudien.
September in Worpswede: Begegnung mit Paula Becker, Clara Westhoff, Heinrich Vogeler, Carl Hauptmann.
Vom lieben Gott und Anderes (Erzählungen)

1901　Im April Vermählung mit Clara Westhoff. Wohnsitz in Westerwede. Am 12. Dezember Geburt der Tochter Ruth.
Das tägliche Leben in Berlin aufgeführt

1902　*Worpswede* (Monographie); *Die Letzten* (Erzählungen); *Das Buch der Bilder;* Kritiker am »Bremer Tageblatt«. Ende August Übersiedlung nach Paris. Erster Besuch bei Rodin

1903　In Paris. Die Monographie *Auguste Rodin.* April in Viareggio. Briefwechsel mit Lou Andreas-Salomé. Im Sommer in Worpswede. Ab September mit Clara Rilke in Rom (bis Ende Juni 1904)

1904　Auf Einladung Ellen Keys Reise nach Schweden. Borgeby gard; Furuborg, Jonsered. Dazwischen Kopenhagen.
Geschichten vom lieben Gott (Neuausgabe der Erzählungen von 1900)

1905　Oberneuland, Dresden, Göttingen (Lou Andreas-Salomé), Berlin, Friedelhausen (Hessen), Worpswede. Im Herbst Rückkehr nach Frankreich zu Rodin. Winter in Meudon-Val-Fleury.
Das Stunden-Buch. Die erste Vortragsreise

1906　Meudon, später Paris. Am 14. März Tod des Vaters in Prag während der zweiten Vortragsreise. Trennung von Rodin. Im Sommer Reise nach Belgien. Friedelhausen. Ab Dezember Capri.
Das Buch der Bilder (erweiterte Neuausgabe); *Die Weise von Liebe und Tod des Cornets Christoph Rilke*

1907　Bis Mai als Gast von Frau Alice Faehndrich auf Capri. Juni bis Oktober Paris. Im November dritte Vortragsreise. Wien: Rudolf Kassner, Hofmannsthal, Richard Beer-Hofmann. Ve-

nedig, Haus Romanelli. Ab Dezember Oberneuland.
Neue Gedichte; Auguste Rodin (Neuausgabe)

1908   Oberneuland, Capri, ab Mai in Paris. Verhaeren, Gide.
Der Neuen Gedichte anderer Teil; Elizabeth Barrett-Brow-
nings Sonette nach dem Portugiesischen (Übertragung)

1909   Paris. Im September Bad Rippoldsau. Zwei Reisen in die Pro-
vence.
Requiem; Die frühen Gedichte
Begegnung mit der Fürstin Marie von Thurn und Taxis-Hohenlohe in Paris

1910   Besuch bei Anton und Katharina Kippenberg in Leipzig. Jena
Weimar, Berlin. Frühsommer in Paris und Oberneuland. Gast
der Fürstin Thurn und Taxis in Duino (April) und Lautschin
(August); dann bei den Geschwistern Nádherný in Vrchotovy
Janovice. Ab Ende November Nordafrikareise (Algier. Tunis,
Kairuan).
Die Aufzeichnungen des Malte Laurids Brigge

1911   Weiterreise nach Ägypten. Nilfahrt. Ende März über Venedig
nach Paris zurück. Marthe Hennebert. Sommer in Deutschland
(u. a. bei Kippenbergs) und Böhmen. Ab Oktober Duino.
Maurice de Guérin. Der Kentauer (Übertragung)

1912   Duino. Erste Elegien. Mai—September in Venedig. Eleonora
Duse. Von München aus Reise nach Spanien. Toledo. Ronda.
Die Liebe der Magdalena (Übertragung)

1913   Ronda. Madrid. Ab Ende Februar Paris. Im Sommer in
Deutschland. Schwarzwald. Ostsee. München und Dresden. Be-
gegnung mit Franz Werfel. Ab Mitte Oktober wieder in Paris.
Das Marien-Leben; Erste Gedichte; Portugiesische Briefe
(Übertragung)

1914   Paris »Benvenuta«. Ende Februar—Ende Mai Berlin, Duino,
Assisi. Im Juli Reise nach Deutschland, Leipzig (Kippenbergs),
dann München: Kriegsausbruch. Dezember in Berlin.
André Gide, Die Rückkehr des verlorenen Sohnes (Übertragung)

1915 München. Lou Albert-Lasard. Regina Ullmann. Annette Kolb. Wilhelm Hausenstein. Norbert von Hellingrath. Hans Carossa. Walther Rathenau. Im Sommer und Herbst Gast bei Hertha Koenig und Renée Alberti. Verlust der Pariser Habe durch Versteigerung (April). Im November Musterung in München und Einberufung nach Wien

1916 Militärdienst; dann im Kriegsarchiv Wien. Begegnungen mit Kassner, Stefan Zweig, Karl Kraus, Oskar Kokoschka. Mai—Juni in Rodaun als Nachbar Hofmannsthals. Am 9. Juni Entlassung, im Juli Rückkehr nach München

1917 München. Von Ende Juli—Anfang Oktober Gast bei Frau Hertha Koenig auf Gut Böckel bei Bieren (Westfalen). Im Frühling und Spätherbst Berlin: Walther Rathenau, Graf Kessler, Richard von Kühlmann. Ab Dezember wieder in München

1918 München, ab Mai in eigener Wohnung. Revolution. Beziehungen zu Kurt Eisner, Ernst Toller, O. M. Graf, Alfred Wolfenstein.
Die vierundzwanzig Sonette der Louize Labé (Übertragung)

1919 München. Besuch von Lou Andreas-Salomé. 11. Juni Reise in die Schweiz. Zürich. Genf. Bern. 27. Juli bis 23. September in Soglio. Nyon. Oktober—November Vorlesungen. Die Brüder Reinhart, Nanny Wunderly-Volkart. Ab Anfang Dezember Locarno.
Ur-Geräusch

1920 Locarno. Basel. Schöneberg b. Basel (März—Juni) Familien Burckhardt und von der Mühll. Juni—Juli Venedig. August: Zürich, Genf und Bern; Baladine Klossowska. Ende Oktober Paris. Ab Mitte November auf Schloß am Irchel

1921 Schloß Berg am Irchel bis Mitte Mai. Reisen durch die Schweiz. Ende Juni Entdeckung des Château de Muzot bei Sierre. Ende Juli Einzug in Muzot.
Mitsou

1922 Muzot und Sierre. Im Februar Vollendung der *Duineser Elegien*. Niederschrift der *Sonette an Orpheus*. Heirat der Tochter Ruth mit Carl Sieber am 12. Mai.

1923 Muzot. Reisen in der Schweiz. Valéry-Übertragungen. Ende Dezember im Sanatorium Val-Mont.
Duineser Elegien und *Sonette an Orpheus* erschienen

1924 Zu Beginn und Ende des Jahres wiederum Klinikaufenthalte in Val-Mont. Gedichte in französischer Sprache. Späte Gedichte. Besuch Paul Valérys (April), Clara Rilkes (Mai) u. a.

1925 Von Januar—August in Paris. Französischer literarischer Freundeskreis. Im Spätsommer Reisen durch die Schweiz. Muzot. Am 27. Oktober Testament. Im Dezember nach Val-Mont.
Paul Valéry, Gedichte (Übertragungen)

1926 Von Januar bis Ende Mai Val-Mont. Sommer in Ragaz, dann Lausanne, Anthy. Letztes Treffen mit Valéry. Sierre.
Vergers suivi des Quatrains Velaisans.
Am 30. November wieder in Val-Mont; dort am 29. Dezember an Leukämie gestorben.

1927 2. Januar Begräbnis in Raron (Wallis).
Les Roses; Les Fenêtres; Paul Valéry. Eupalinos oder Über die Architektur (Übertragung); *Gesammelte Werke* (Bd 1—6)

Ich danke

Herrn Winfried Hönes, Kleve, für das Material seines Archivs, aus
dem ich Teil II »Über Rilke. 1900—1961« zusammengestellt habe;
dem Schiller-Nationalmuseum Marbach a. N., insbesondere Herrn
Bernhard Zeller als Herausgeber und als Verfasser für die Zeittafel
»Rilkes Leben und Werk 1875—1927« (ed. in: Rainer Maria Rilke
1875—1975. Eine Ausstellung des Deutschen Literaturarchivs im
Schiller-Nationalmuseum Marbach a. N., Katalog Nr. 26; hrsg. von
Bernhard Zeller, Ausstellung und Katalog Joachim W. Storck in Zusammenarbeit mit Eva Dambacher und Ingrid Kußmaul. In Kommis-
sion Kösel Verlag GmbH. München 1975).

Heinz Ludwig Arnold